# Sommaire

**S0-AEL-171**

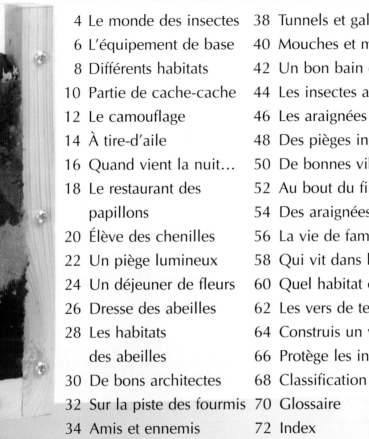

**Prudence !**
Respecte les animaux sauvages ;
ne perturbe pas leur
environnement.

**ATTENTION, LES ENFANTS !**
**RECOMMANDATIONS À LIRE ABSOLUMENT**
**AVANT D'ENTREPRENDRE TOUTE ACTIVITÉ**

**1** Préviens un adulte avant de débuter une activité de ce livre : tu ne dois pas la réaliser sans le contrôle d'un adulte.

**2** Fais attention aux symboles ci-dessous.

⚠ Sois très prudent avec cette activité.

⚠ Fais-toi aider par un adulte pour cette activité.

**3** Lis les encadrés « Attention » qui t'informent sur les activités et t'indiquent lesquelles sont très salissantes et doivent être réalisées dans un lieu approprié.

**4** Suis les instructions à la lettre.

# Le monde des insectes

Que l'on habite en ville ou à la campagne,
on rencontre des insectes partout ! En
général, ils vivent à l'extérieur, mais il leur
arrive de se faufiler à l'intérieur de nos
maisons. Mais au fait, qui sont ces petites
bêtes ? Qu'est-ce qui les rend aussi
fascinantes ? Les araignées sont-
elles vraiment des insectes ?
Ce livre est là pour répondre
à toutes les questions que
tu te poses.

*C'est la partie médiane
du corps, le thorax,
qui porte les pattes
et les ailes*

*Le corps est
couvert d'un
squelette externe
qui sert « d'étui »
à l'animal*

### Six pattes, pas une de plus !

Les insectes sont les animaux les plus nombreux de la planète.
On en recense plus d'un million d'espèces. Si une petite bête
possède un corps en trois parties (tête, thorax, abdomen) et six
pattes, pas de doute, c'est un insecte ! Certains sont même pourvus
d'ailes, très utiles pour échapper aux prédateurs. C'est d'ailleurs
l'une des raisons pour lesquelles on les trouve partout.

## RECONNAÎTRE LES INSECTES

Les entomologistes sont des
spécialistes des insectes qui étudient
les espèces des quatre coins
du globe et analysent leur
comportement. Certains s'intéressent
aux insectes qui participent à la
pollinisation des plantes ou dévorent
les récoltes tandis que d'autres,
les entomologistes médicaux,
s'occupent de ceux qui propagent
des maladies.

◄ **Sur le terrain**
Cet entomologiste étudie
les insectes des forêts
tropicales du Costa Rica.
Chaque année dans le
monde, les scientifiques
découvrent des milliers
de nouvelles espèces
et pourtant beaucoup
restent encore
inconnues.

*Les insectes possèdent deux antennes situées sur leur tête*

## Le défilé des espèces

Pour ne plus confondre un insecte avec un autre animal, compte les pattes : les crustacés en possèdent plusieurs paires, les araignées en ont huit et les mille-pattes en ont parfois des centaines ! Les insectes sont aussi les seuls à être parfois pourvus d'ailes.

**Crustacé**

*Les élytres, les ailes antérieures, protègent l'abdomen*

**Araignée**

**Chilopode**

**Coccinelle**

*L'échelle est respectée entre cette coccinelle et ce gros scarabée*

**Diplopode**

*Le pou s'accroche aux cheveux avec ses griffes*

**Insecte**

## Pouah !

Pourquoi les insectes inspirent-ils aussi souvent la peur et le dégoût ? Parce qu'ils mordent, piquent et se déplacent de façon imprévisible. Ils rampent avec des mouvements saccadés ou se posent sur la peau ou les vêtements. Certains, comme les poux, utilisent même les humains comme moyen de locomotion !

# L'équipement de base

Pour pouvoir observer des animaux aussi petits que les insectes, il faut les capturer à l'aide d'un équipement spécial, détaillé ci-dessous. Afin de les étudier dans les moindres détails, tu devras te munir de l'outil indispensable à un entomologiste en herbe : une loupe. Certaines grossissent les détails deux à trois fois, ce qui est en général suffisant, mais il en existe de plus fortes qui grossissent jusqu'à dix fois et qui sont assez petites pour tenir dans ta poche !

### RÈGLES D'OR DU CHASSEUR D'INSECTES

Lorsque tu pars à la chasse aux insectes, tu dois faire attention à toi comme à eux. Pour cela, respecte toujours ces trois règles :
- Ne touche jamais un insecte sans t'être assuré qu'il est inoffensif.
- Relâche les insectes quand tu as fini de les étudier.
- Si tu veux capturer des insectes la nuit, demande toujours à un adulte de t'accompagner.

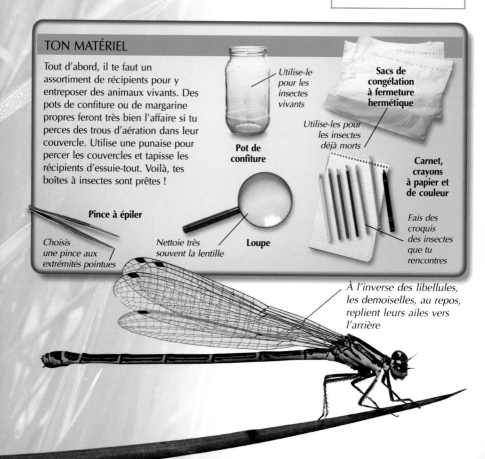

### TON MATÉRIEL

Tout d'abord, il te faut un assortiment de récipients pour y entreposer des animaux vivants. Des pots de confiture ou de margarine propres feront très bien l'affaire si tu perces des trous d'aération dans leur couvercle. Utilise une punaise pour percer les couvercles et tapisse les récipients d'essuie-tout. Voilà, tes boîtes à insectes sont prêtes !

Utilise-le pour les insectes vivants

**Pot de confiture**

**Sacs de congélation à fermeture hermétique**

Utilise-les pour les insectes déjà morts

**Carnet, crayons à papier et de couleur**

**Pince à épiler**

Choisis une pince aux extrémités pointues

Nettoie très souvent la lentille

**Loupe**

Fais des croquis des insectes que tu rencontres

À l'inverse des libellules, les demoiselles, au repos, replient leurs ailes vers l'arrière

## RECONNAÎTRE LES INSECTES

Lorsque tu trouves un insecte, regarde la liste ci-dessous, puis reporte-toi aux rabats de ce livre. Tu pourras bientôt reconnaître les différentes espèces.

*Élytres*

**Coléoptère**

- Corps long et fin, quatre ailes perpendiculaires au corps : libellule
- Corps long et fin, quatre ailes repliées vers l'arrière : demoiselle
- Corps long, pattes postérieures surdimensionnées et parfois ailes : grillon ou sauterelle
- Corps large et plat, pièces buccales pointues : punaise

- Élytres qui protègent l'abdomen comme un étui : coléoptère
- Une paire d'ailes : mouche
- Grandes ailes colorées repliées au-dessus du corps au repos : papillon
- Taille et ailes fines, rayures de couleur vive : abeille ou guêpe

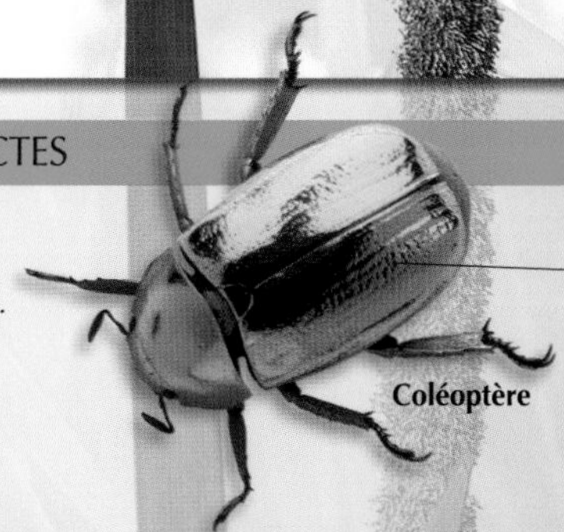

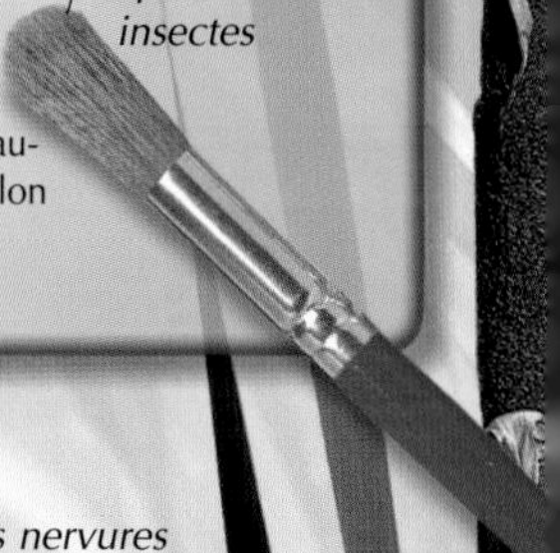

*Pinceau à poils souples pour épousseter les insectes*

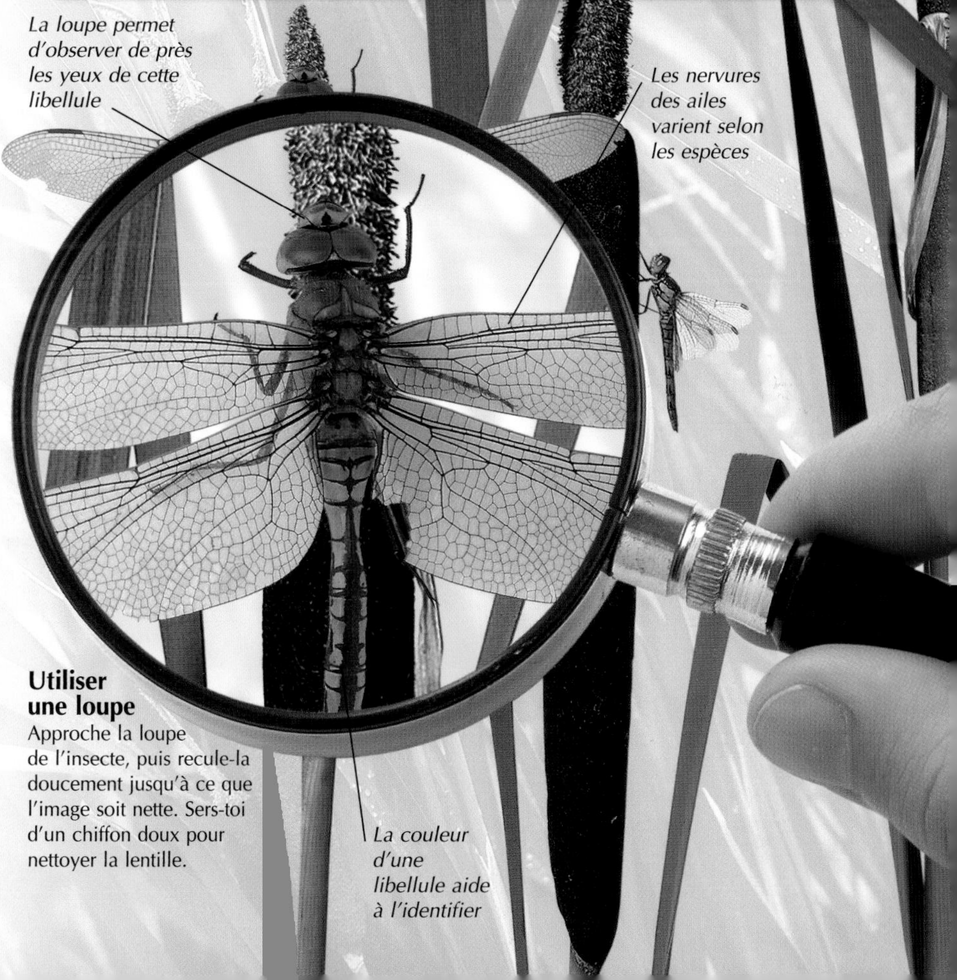

*La loupe permet d'observer de près les yeux de cette libellule*

*Les nervures des ailes varient selon les espèces*

### Utiliser une loupe

Approche la loupe de l'insecte, puis recule-la doucement jusqu'à ce que l'image soit nette. Sers-toi d'un chiffon doux pour nettoyer la lentille.

*La couleur d'une libellule aide à l'identifier*

# Différents habitats

Lorsqu'on s'intéresse aux insectes, on se rend vite compte que tous ne vivent pas au même endroit. Les abeilles et les papillons aiment les jardins fleuris, les libellules préfèrent les étangs et les cloportes l'humus, un tapis de feuilles en décomposition au pied des buissons et des arbres. Ces différents environnements se nomment habitats. En plus d'être un abri, l'habitat fournit la nourriture et les conditions de vie favorables à la reproduction d'une espèce.

### Les étangs et les cours d'eau ▶

Les étangs sont des endroits idéaux pour observer les insectes car ils attirent de nombreuses espèces. Certaines vivent à la surface, comme les libellules qui capturent leurs proies en plein vol, et d'autres sous l'eau. Si tu possèdes une épuisette, tu pourras facilement pêcher des insectes aquatiques, mais surtout n'y touche pas. Certains piquent ou mordent.

### ◀ L'humus

Si tu veux trouver des insectes à coup sûr, cherche-les dans l'humus, ce compost qui se forme sur le sol à partir de feuilles mortes. Beaucoup de petits animaux qui affectionnent les endroits sombres et humides, comme le cloporte, y vivent.

# LES INSECTES DE LA MAISON

On trouve dans nos foyers des visiteurs occasionnels, comme les mouches et les moustiques, mais aussi des résidants permanents très utiles comme les araignées qui permettent d'éviter la prolifération des insectes.

## ▲ Les arbres et les buissons

Beaucoup d'insectes vivent dans les arbres et les buissons qui leur fournissent une nourriture abondante, qu'ils aiment les feuilles comme les chenilles ou la sève comme les pucerons. Ces espèces se confondent souvent avec leur environnement pour échapper aux oiseaux.

*Les feuilles sont les cachettes préférées des insectes*

### La cuisine

L'été, les mouches domestiques et les mouches bleues entrent par les portes et les fenêtres. Elles viennent y chercher de la nourriture et un endroit où pondre.

*Les mouches laissent des taches collantes là où elles se posent*

## ◄ Les prairies et les jardins fleuris

Les fleurs, et plus particulièrement le liquide sucré appelé nectar qu'elles sécrètent, sont très appréciées des papillons, des abeilles et des syrphes. Les journées ensoleillées sont idéales pour les observer car ces petites bêtes aiment la chaleur.

### La cave et la salle de bain

Les araignées aiment se tapir dans les recoins, mais il arrive qu'on en trouve dans la baignoire car ses parois sont trop lisses pour qu'elles remontent.

*Elles se dirigent grâce à leurs pattes*

### QUI VIT OÙ ?

- Libellules et demoiselles : étangs.
- Cloportes et mille-pattes : humus, au pied des arbres.
- Chenilles et punaises : arbres et buissons.
- Papillons, abeilles et syrphes : prairies et jardins fleuris.
- Coléoptères : humus, sur le sol.
- Araignées : prairies, jardins et sous les pierres.

## Les murs et les chemins pavés ▲

Par temps chaud, les petites bêtes peuplent les murs et les chemins pavés. On y trouve des aoûtats mais aussi des araignées sauteuses prêtes à bondir sur leur proie…

### Les armoires et les placards

Les poissons d'argent vivent dans les placards où ils s'alimentent de débris de nourriture. Les mites préfèrent les armoires car leurs larves se nourrissent de laine.

*Les poissons d'argent aiment la farine et le sucre*

# Partie de cache-cache

Nous l'avons vu, les insectes nous entourent et pourtant il est parfois très difficile de les repérer tant ils sont bien camouflés. Pour les débusquer, c'est très simple : il te suffit d'un plateau et d'une feuille de papier blanc posés sous un buisson ou un arbre. Tapote une branche avec un bâton et examine la feuille. Les insectes invisibles sur les plantes peuvent maintenant être observés !

## CE QU'IL TE FAUT

- un plateau assez profond
- du papier blanc
- une paire de ciseaux
- un bâton
- une loupe

Demande toujours à un adulte de t'aider quand tu utilises des ciseaux.

## ATTENTION

Ne touche à aucun de ces insectes car ils pourraient te mordre ou te piquer. Relâche-les dès que tu as terminé.

**1** **Découpe une feuille de papier** aux dimensions du plateau et tapisses-en le fond.

**2** **Dépose le plateau** sous une branche feuillue et tapote-la avec le bâton ou demande à un ami de le faire à ta place pour que tu puisses voir les insectes tomber.

## LES AS DU CAMOUFLAGE

Les insectes utilisent le camouflage soit pour se protéger de prédateurs comme les lézards et les oiseaux, soit pour chasser sans se faire remarquer. Le camouflage s'avère beaucoup plus efficace si l'insecte se tient immobile, et contrairement aux humains, c'est une chose dans laquelle ils excellent. Ils peuvent rester plusieurs heures dans la même position sans s'ennuyer ni souffrir de crampes.

**La brindille vivante ▶**
Grâce à son corps couleur écorce et sa tête aplatie qui ressemble à un morceau de bois cassé, cette chenille de phalène du bouleau se protège de ses ennemis en se faisant passer pour une brindille.

## LES CHAMPIONS DE L'IMITATION

Chez les insectes, l'habit ne fait pas le moine. Les plus inoffensifs ressemblent parfois à s'y méprendre à des espèces dotées d'aiguillon, mais lorsqu'on s'y connaît un peu en insectes, on ne se laisse plus berner. La prochaine fois que tu verras une abeille ou une guêpe, observe-la et tu sauras si c'est une vraie ou une imitation !

**Attention aux imitations !** ▼
La plupart des syrphes ressemblent à des guêpes mais elles ne possèdent que deux ailes au lieu de quatre et sont dépourvues de dard.

**Syrphe**

**Guêpe**

*La survie des punaises vertes et de leurs petits dépend du camouflage*

③ **Utilise ta loupe** pour examiner les insectes en détail. Renouvelle l'opération sous une autre plante afin d'observer quelles espèces vivent sur quels végétaux.

# Le camouflage

Les insectes sont des proies potentielles pour les prédateurs, ils doivent donc toujours être à l'affût. Heureusement, ils ont développé de nombreuses techniques de camouflage et de défense. Ouvre grand les yeux quand tu te promènes et tu rencontreras sûrement des insectes qui survivent grâce à d'astucieux stratagèmes. Les plus doués dans ce domaine sont les taupins et les larves de cercope. Ces derniers s'entourent d'une écume protectrice qu'il suffit d'essuyer du doigt pour découvrir un petit animal au corps mou.

### Cachées sous les bulles

Les larves de cercope vivent sur des plantes à tige tendre dont elles sucent la sève. Si les adultes peuvent d'un bond échapper au danger, ce n'est pas le cas des jeunes. Leur parade consiste donc à sécréter une écume protectrice. C'est au printemps et au début de l'été que l'on en trouve le plus.

### QUI VIT OÙ ?

- Larves de cercope : herbes des jardins et des prés.
- Larves de fourmilion : sol mou et sablonneux des régions chaudes.
- Taupins : plantes des jardins, des prés et des champs.
- Scarabées bombardiers : parmi les pierres et les tas de feuilles mortes sur le sol.

*Essuie l'écume produite par cette larve pour l'observer*

*On appelle cette écume « crachat de coucou » bien qu'elle ne soit pas sécrétée par un oiseau*

## Des pièges très étudiés

Les larves de fourmilion creusent des pièges dans lesquels elles se cachent et font tomber les insectes qui s'en approchent en leur lançant du sable. Si tu trouves un de ces pièges, essaie d'agiter une brindille près du trou. La larve qui s'y trouve tentera de la capturer croyant qu'il s'agit d'une proie.

*Les larves de fourmilion sont de couleur sable avec de grosses mandibules*

## Faire le mort pour s'échapper !

Si tu trouves un taupin, ramasse-le et dépose-le dans la paume de ta main. Au début, il fera le mort mais au bout d'un moment tu entendras un déclic et tu le verras décoller dans les airs ! Les taupins utilisent cette ruse pour échapper aux prédateurs.

*Lorsqu'il fait le mort, un taupin replie ses pattes contre son corps*

## LES ARMES CHIMIQUES

Le scarabée bombardier est un expert en autodéfense. Lorsqu'il se sent menacé, il libère des substances chimiques dans un réservoir situé à l'intérieur de son abdomen qu'il expulse ensuite sous forme d'un jet de gaz toxique en direction de son agresseur. Ce scarabée peut produire jusqu'à cinquante explosions à la suite, ce qui lui permet de prendre la fuite.

**Maquette d'un scarabée bombardier**

**Défense explosive ▶**
Le scarabée bombardier dispose d'une chambre de combustion réservée au mélange des substances toxiques. Pour tirer, il ouvre une valve au bout de son abdomen.

*Chambre de combustion résistante à la chaleur*

# À tire-d'aile

Aux beaux jours, les jardins se remplissent d'insectes ailés. Pour les observer de plus près, construis un filet à papillons ! En l'agitant au-dessus des fleurs tu pourras capturer un nombre incroyable de petites bêtes. Ensuite, tiens le manche à l'horizontale et laisse pendre ton filet pendant que les insectes s'envolent les uns après les autres.

## CE QU'IL TE FAUT

- un carré de mousseline de 80 cm de côté
- une agrafeuse
- un cintre en métal
- une paire de pinces
- un bâton de 60 cm de long
- 10 cm de fil de fer souple
- du ruban adhésif solide

⚠ Demande à un adulte de t'aider à te servir des pinces.

**1** **Replie** l'un des côtés du carré de mousseline et agrafe-le de façon à former un ourlet de 6 cm de large.

### ASTUCE

Ton filet sera plus facile à agiter dans les airs si son manche ne dépasse pas 60 cm de long.

**2** **Déplie** le cintre avec les pinces, puis glisse-le dans l'ourlet. Saisis prudemment ses deux extrémités et plie-le jusqu'à obtenir un cercle. Maintenant, redresse les tiges du cintre pour qu'elles soient prêtes à être fixées au bâton.

**3** **Place** le bâton entre les deux tiges de métal et attache son extrémité au filet avec du fil de fer. Entoure le bâton et les tiges métalliques avec du ruban adhésif.

## DES AILES EN DENTELLE

Contrairement aux oiseaux, les insectes possèdent des ailes très différentes selon leur espèce. Une mouche n'en dispose que d'une paire alors que la plupart des insectes en ont deux. Les ailes antérieures et postérieures se ressemblent parfois, mais le plus souvent elles sont très différentes. Les coléoptères sont dotés d'ailes antérieures rigides, les élytres, qui au repos protègent leurs ailes membraneuses plus fragiles.

**▲ Chrysope**
La chrysope possède quatre ailes, chacune traversée d'un enchevêtrement de veines qui solidifient les ailes et leur évitent ainsi de se tordre pendant le vol.

**4** **Enfin**, agrafe le côté de ton filet pour le fermer. Et voilà !

## ATTENTION AU DÉCOLLAGE !

**Ouvrir ses ailes et s'envoler ▲**
Pour s'envoler, une coccinelle doit ouvrir ses élytres à pois avant de pouvoir déployer ses ailes.

Lorsqu'on essaie d'attraper une mouche, elle s'envole en un clin d'œil. Les coléoptères, comme les coccinelles, ont quant à eux besoin de plusieurs secondes pour préparer leurs ailes, c'est pourquoi ils préfèrent marcher plutôt que voler. Si tu trouves une coccinelle posée sur une plante et que tu la chatouilles avec un brin d'herbe, tu la verras peut-être ouvrir ses élytres et s'envoler peu après.

# Quand vient la nuit...

Beaucoup d'espèces d'insectes volants ou rampants préfèrent vivre la nuit, quand les humains sont endormis. Prépare un piège creusé dans le sol pour voir qui se promène dans l'obscurité de ton jardin. Le lendemain tu n'auras qu'à l'ouvrir pour tous les découvrir !

## CE QU'IL TE FAUT

- une petite pelle
- un gobelet en plastique ou un pot de confiture
- un appât (morceau de fromage ou de fruit)
- quatre cailloux
- une planche de bois de 10 cm de côté
- une loupe

## ATTENTION

Ne sors jamais de chez toi la nuit sans être accompagné d'un adulte et relâche toujours les insectes une fois que tu as terminé de les observer.

**1** **Creuse** un trou dans le sol et enterres-y le gobelet ou le pot de confiture. Place ensuite l'appât à l'intérieur.

**2** **Installe** les cailloux autour du gobelet et recouvre le piège avec la planche pour éviter que la pluie n'y tombe.

**3** **Laisse** ce piège toute une nuit et déterre-le le lendemain pour examiner ce que tu as attrapé. Varie les appâts pour attirer différentes sortes d'insectes.

## LA RONDE DES COLÉOPTÈRES

**Patrouille nocturne** ▲
Les carabes chassent les chenilles et autres insectes nuisibles.

De nombreux coléoptères sont des chasseurs nocturnes parfaitement adaptés à ce mode de vie avec leurs pattes robustes et leurs épais élytres qui leur servent de boucliers. Certains, comme les carabes, ont une carapace noire qui leur permet de se fondre dans l'obscurité et d'échapper ainsi aux prédateurs.

## LES LUCIOLES ET LES VERS LUISANTS

Si la majorité des insectes nocturnes préfèrent passer inaperçus, ce n'est pas le cas des lucioles et des vers luisants. Ces insectes produisent de la lumière pour attirer un partenaire. Les vers luisants vivent au sol, tandis que les lucioles brillent dans les buissons, les arbres ou même dans le ciel. Si l'on dérange ces animaux, leur lumière a tendance à s'éteindre, mais si l'on se tient immobile il est possible qu'elle se ravive.

◄ **Un phare dans la nuit**
Ce ver luisant femelle signale sa présence aux mâles en produisant de la lumière grâce à des organes spéciaux situés sous son abdomen. Les femelles, contrairement aux mâles, sont dépourvues d'ailes.

*Attirés par l'odeur de la nourriture, des coléoptères et d'autres petits animaux se sont laissés piéger*

# Le restaurant des papillons

Qu'ils soient diurnes ou nocturnes, les papillons raffolent du nectar des fleurs. Pour observer leur façon de manger, prépare-leur une sucrerie à laquelle ils ne pourront pas résister : du sucre mélangé à un fruit bien mûr. Et si ton restaurant reste ouvert jusqu'au crépuscule, tu y verras sûrement quelques papillons de nuit.

## CE QU'IL TE FAUT

- une banane bien mûre
- un saladier
- une fourchette
- une casserole
- une cuillère en bois
- 100 g de sucre roux
- 25 cl d'eau
- une assiette en carton
- un crayon
- de la ficelle

Demande l'aide d'un adulte pour la cuisson.

**1** **Pèle la banane**, coupe-la en morceaux et écrase-la en purée dans un saladier avec la fourchette.

**2** **Mélange la purée** de banane, le sucre et l'eau dans la casserole. Fais cuire à feu doux jusqu'à ce que le mélange devienne collant. Éteins le feu et laisse refroidir.

**3** **À l'aide du crayon** perce trois trous dans l'assiette en carton et attaches-y trois morceaux de ficelle.

## PAPILLON DE JOUR OU PAPILLON DE NUIT ?

Chez les papillons, il existe beaucoup plus d'espèces diurnes et vivement colorées que d'espèces nocturnes marron ou grises. Cependant, certains papillons de nuit préfèrent voler de jour et possèdent des ailes éclatantes. Pour les différencier, il faut bien observer leurs ailes au repos. Les papillons de jour replient les leurs au-dessus de leur corps tandis que les papillons de nuit les étendent à plat.

**Sphinx du laurier rose ▶**
Les sphinx ont un corps large et des ailes pointues. Comme tous les papillons de nuit, ils possèdent d'épaisses antennes.

**Monarque ▲**
Au repos, le monarque replie ses ailes au-dessus de son corps. Il a des antennes plus fines que celles du sphinx.

## UNE TROMPE ENROULABLE

La trompe des papillons fonctionne comme une paille qu'ils déroulent pour goûter leur nourriture, puis aspirer le nectar. Une fois le repas terminé, la trompe est enroulée sous la tête pour ne pas être abîmée pendant le vol.

**À table !** ▲
Ce papillon déroule sa trompe afin de se nourrir.

*Les papillons détectent les aliments sucrés grâce à leurs antennes et à leurs pattes*

*Le mélange doit être assez liquide pour que les papillons puissent l'aspirer*

**④ Accroche l'assiette** à une branche basse puis étales-y le mélange. Recule-toi et attends que les papillons arrivent.

# Élève des chenilles

Pour un passionné d'insectes, il n'y a rien de plus fascinant que de voir des chenilles devenir papillons. Les chenilles sont relativement faciles à trouver, mais il leur faut beaucoup de confort pour se développer en captivité. Pour qu'elles se sentent comme chez elles, installe-les dans une grande bouteille en plastique recouverte de mousseline pour qu'elles puissent respirer.

**1** **Découpe** le haut de la bouteille. Taille un carré de mousseline qui recouvre bien les bords de l'ouverture comme sur la photo.

**2** **Remplis** le pot de confiture d'eau et places-y les plantes qui serviront de nourriture aux chenilles. Dépose le pot et son contenu dans la bouteille.

**3** **Installe** délicatement les chenilles sur les plantes, puis recouvre l'ouverture avec la mousseline et maintiens-la en place à l'aide de l'élastique.

## LA MUE

Pour grandir, les insectes doivent changer de peau et abandonner leur ancienne enveloppe. Les mues de chenilles tombent souvent au sol tandis que celles des araignées restent pendues à leur toile et on les confond souvent avec des animaux vivants.
Si tu as un doute, approche un crayon de la mue : si elle part en courant, c'est une vraie araignée !

**Un nouveau départ** ▲
Cette araignée vient tout juste de muer et son ancienne enveloppe est accrochée à un fil de soie. Les araignées muent plusieurs fois dans leur vie. Chez les insectes, ce phénomène s'arrête lorsqu'ils ont atteint leur taille adulte.

### ATTENTION

Les chenilles sont très difficiles. Ne leur donne à manger que des plantes sur lesquelles tu les as trouvées et surveille tous les jours le niveau d'eau pour que les feuilles ne fanent pas.

## Les métamorphoses

Tous les insectes changent d'apparence à mesure qu'ils grandissent. Les petites sauterelles ressemblent à des adultes sans ailes et évoluent à chaque nouvelle mue. Les papillons grandissent d'une autre façon : ils passent de larve à adulte lors d'un stade de leur développement appelé chrysalide.

◄ **Les œufs**
La plupart des insectes pondent des œufs. Ceux des papillons, collés sous des feuilles, servent de nourriture aux chenilles.

**La chenille** ►
L'activité favorite de la chenille est de manger. Plus elle mange, plus elle grossit et plus elle a besoin de muer souvent.

**La chrysalide** ▲
Lorsque la chenille cesse de manger, elle s'enferme dans un cocon et se transforme.

◄ **Le papillon**
L'adulte sort de sa chrysalide. Il doit attendre plusieurs minutes que ses ailes durcissent pour s'envoler.

*Ce jeune papillon attend que ses ailes durcissent*

# Un piège lumineux

Les papillons de nuit sont irrésistiblement attirés par la lumière, c'est pourquoi ils viennent se cogner à nos fenêtres lorsque la nuit tombe. Construis ce piège et tu pourras les capturer et étudier à la lumière du jour les magnifiques motifs qui leur servent de camouflage. Ces papillons sont des insectes inoffensifs qui ne piquent pas. Lorsque tu auras fini de les observer, laisse-les s'envoler.

## CE QU'IL TE FAUT

- une lampe de poche
- un carton rectangulaire assez haut pour contenir la lampe
- deux boîtes d'œufs
- une agrafeuse
- un tube de colle
- une paire de ciseaux

Demande à un adulte de t'aider à découper la boîte.

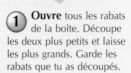

**1 Ouvre** tous les rabats de la boîte. Découpe les deux plus petits et laisse les plus grands. Garde les rabats que tu as découpés.

**2 Découpe** quatre bandelettes dans la largeur d'un des petits rabats et agrafe-les au sommet de la boîte comme sur la photo pour ne laisser qu'une petite ouverture de 2 cm entre les deux rabats restants.

**3 Pose** la boîte sur un petit côté. Ôte les couvercles des boîtes d'œufs et colle-les à l'intérieur des petits côtés. Les papillons pourront s'y poser une fois entrés dans la boîte.

## SOUS LES LAMPES

On ne sait pas précisément pourquoi les papillons de nuit sont attirés par la lumière. D'après les scientifiques, ils confondraient les lumières artificielles avec la lueur de la lune. Approche-toi d'une lampe pour observer les petites bêtes qui virevoltent.

**Dîner aux chandelles** ▲
Ce gecko sait qu'auprès d'une ampoule il trouvera de la nourriture.

## L'ATTAQUE DES MITES

Si certains papillons s'aventurent dans nos maisons avant d'en ressortir, d'autres y passent toute leur vie. Les mites pondent leurs œufs sur les vêtements de laine dont leurs larves se nourrissent en y laissant de nombreux trous. Les mites adultes ont des ailes blanchâtres et poudrées. Lorsqu'elles perçoivent un danger, elles se cachent dans un recoin sombre.

**Bien emmitouflées** ▶
Ces chenilles de mites des fourrures portent un petit « manteau » fait de fibres de laine et de soie qu'elles sécrètent.

**4** **Dépose** ton piège la nuit tombée. Allume la lampe, place la boîte au-dessus, puis attends une heure ou deux. Ensuite, soulève doucement la boîte pour admirer les papillons.

### ATTENTION

Demande à un adulte de t'accompagner pour installer le piège au crépuscule. Dépose-le loin de toute source de lumière par une nuit sans pluie.

# Un déjeuner de fleurs

Nous aimons admirer les jolies fleurs, mais les insectes eux préfèrent se nourrir du nectar très énergétique qu'elles contiennent. En échange de ce nectar, ils transportent le pollen de fleur en fleur, favorisant ainsi la reproduction des plantes. Les fleurs ont adapté leur forme en fonction de leurs visiteurs favoris. Observe les abeilles, les papillons et les syrphes et tu verras qu'il y a des fleurs qu'ils préfèrent et d'autres qu'ils évitent.

*Les abeilles peuvent se glisser dans une gueule-de-loup*

*Corbeille servant à recueillir le pollen*

## Les abeilles

Les abeilles possèdent une longue trompe qui leur permet d'atteindre le nectar qui se trouve tout au fond des fleurs, dans le calice. En plus du nectar, les abeilles récoltent aussi le pollen qui couvre leur corps à l'aide de leurs pattes, puis elles l'entreposent dans leurs corbeilles. Lorsque ces corbeilles sont pleines, les abeilles retournent à la ruche.

### QUI MANGE QUOI ?

- Abeilles : genêts, gueules-de-loup, lavande et roses.
- Papillons : buddleias (arbre à papillon), chardons et valérianes.
- Syrphes : pattes d'ours, sureaux et mille-feuilles.

*Le papillon introduit sa trompe dans chaque petite fleur*

## Les papillons

Les papillons possèdent une très longue trompe, mais leurs larges ailes les empêchent de se glisser dans les fleurs. Ils préfèrent donc les corolles étroites et profondes qui cachent du nectar à leur extrémité. Les papillons adorent les odeurs sucrées et sont particulièrement attirés par le buddleia ou arbre à papillons.

*Les papillons détectent le parfum d'une fleur de très loin*

### ATTENTION

Tu peux utiliser ta loupe pour observer les abeilles qui butinent mais ne t'en approche pas trop pour éviter les piqûres.

## Les syrphes

En raison de leur petite trompe, les syrphes évitent les corolles trop profondes et leur préfèrent les fleurs plates. À l'inverse des abeilles et des papillons, les syrphes aiment les fleurs avec une forte odeur, parfois désagréable pour les humains.

## HORAIRES D'OUVERTURE

Certaines fleurs restent ouvertes jour et nuit, tandis que d'autres ne s'épanouissent qu'à l'heure où sortent leurs visiteurs préférés. Si tu examines ton jardin tôt le matin, tu verras des fleurs, qui restent fermées toute la nuit, éclorent peu à peu pour accueillir les abeilles. D'autres variétés ne s'épanouissent qu'à la tombée de la nuit. Celles-ci sont visitées et fécondées par des papillons de nuit attirés par leur doux parfum.

**Travail de nuit**
Les belles-de-nuit s'ouvrent au crépuscule. Les papillons de nuit les repèrent grâce à leur couleur claire.

# Dresse des abeilles

Les abeilles sont très douées pour trouver des champs de fleurs et se souvenir de leur emplacement. De retour à la ruche, elles informent les autres de leur trouvaille grâce à une danse qui indique à la fois la distance et la direction du champ. Tu pourras observer ce phénomène et évaluer la mémoire des abeilles avec l'expérience suivante.

## CE QU'IL TE FAUT

- du carton fin de cinq couleurs différentes
- une paire de ciseaux
- du sucre
- de l'eau
- une tasse
- cinq bouchons en plastique

## ATTENTION

Ne t'approche pas trop des abeilles et demande à tes parents si toi ou une autre personne de la famille êtes allergiques aux piqûres.

Les abeilles viennent examiner les fleurs

**1** **Découpe** cinq fleurs de couleurs différentes dans le carton et mélange l'eau et le sucre dans la tasse.

**2** **Dispose** les fleurs dehors au soleil et dépose au centre de chacune un bouchon. Verse quelques gouttes d'eau sucrée dans un seul des bouchons.

## LA DANSE DES ABEILLES

Les abeilles ne parlent pas, ne dessinent pas de plan et pourtant, elles arrivent à communiquer. Lorsqu'une ouvrière découvre des fleurs, elle se précipite à la ruche et effectue une danse sur un rayon vertical. La danse en rond signifie que les fleurs sont proches et la danse frétillante indique que le champ est plus loin. Grâce à ces mouvements, l'éclaireuse montre le chemin à suivre.

**Message codé ▶**
Lors de la danse frétillante, l'abeille utilise son abdomen qu'elle fait vibrer dans une direction particulière, comme une boussole. Ses congénères mémorisent la direction pour retrouver les fleurs.

## À L'INTÉRIEUR DE LA RUCHE

Une ruche fonctionne comme une grande ville dirigée par une reine toute puissante. C'est elle qui pond les œufs et organise la colonie. Les ouvrières construisent la ruche, s'occupent des larves et fournissent la nourriture. Elles produisent du miel pour nourrir les larves et toute la colonie en hiver. Ce miel est stocké dans des alvéoles qui une fois pleines sont recouvertes d'une pellicule de cire.

**Abeilles sur un rayon de miel** ▶
Ces abeilles se promènent sur un rayon de miel vide qu'elles viennent de construire. Un rayon est formé de centaines d'alvéoles hexagonales en cire qui accueillent le miel et les larves.

*Les abeilles pompent l'eau sucrée avec leur trompe*

**③ Les premières** abeilles à découvrir l'eau sucrée partiront avertir leurs congénères à la ruche.

**④ Enlève** le bouchon d'eau sucrée. Les abeilles vont se souvenir de la couleur de la fleur et y revenir même si il n'y a plus de nourriture.

*Les ouvrières espèrent trouver de la nourriture dans la fleur vide*

## CE QU'IL TE FAUT

- 20 tiges de bambou d'environ 1 cm de diamètre et 15 cm de long
- du ruban adhésif solide
- de la pâte à modeler
- un pot de fleurs

Demande à un adulte de t'aider à couper les tiges à la bonne taille

# Les habitats des abeilles

Toutes les abeilles ne vivent pas en colonie. L'abeille maçonne, par exemple, est une espèce solitaire qui pond ses œufs dans des tiges creuses où les larves se développent sans l'aide d'ouvrières. Il faut encourager la reproduction de ces abeilles car elles participent à la pollinisation des jardins. Construis-leur un nid douillet à l'aide d'un pot de fleurs et de quelques tiges de bambou.

## LES ABEILLES COUPEUSES DE FEUILLES

**Un travail minutieux ▲**
Cette abeille coupeuse de feuilles sectionne à l'aide de ses mandibules un morceau de feuille de rosier qu'elle rapportera ensuite à son nid.

Les trous semi-circulaires que tu peux observer en été sur les feuilles de rosier sont l'œuvre des abeilles coupeuses de feuilles. Ces abeilles, qui nichent dans des tiges creuses, ne tapissent pas leur nid de boue comme les abeilles maçonnes. Elles déposent leurs œufs dans de petits paquets faits de morceaux de feuilles et si possible de feuilles de rosier. Chaque paquet contient un œuf et une réserve de pollen pour que la larve puisse se nourrir une fois éclose.

**1** **Forme** un fagot avec les tiges de bambou, attache-les ensemble avec le ruban adhésif, puis enfonce-les dans de la pâte à modeler pour en boucher une extrémité.

**2** **Place** le fagot dans le pot de fleurs, extrémité ouverte vers l'extérieur, et cale-le bien à l'aide du reste de pâte à modeler.

## LES ABEILLES CHARPENTIÈRES

Les abeilles charpentières sont
assez différentes des autres abeilles
solitaires de taille plutôt modeste,
car elles peuvent mesurer plus de
2,5 cm de long. Ces insectes au
corps velu et aux ailes souvent
noires émettent un puissant
vrombissement quand ils volent.
Les abeilles charpentières ne
nichent pas dans des tiges ; elles
creusent des tunnels dans le bois
mort où elles déposent un tas de
pollen surmonté d'un œuf.

**Bzzzzzzzzzzzzz !** ▶
Les abeilles charpentières vivent dans
les régions les plus chaudes du globe
et c'est en Australie qu'on trouve les
plus grosses.

**3** **Dépose** le pot au
soleil. Au printemps, les
abeilles maçonnes tapisseront
l'intérieur des tiges de boue
avant de pondre.

# De bons architectes

Les insectes sont les architectes les plus doués du monde animal. Contrairement aux êtres humains, ils savent instinctivement quels matériaux utiliser et quels plans suivre pour construire leur habitat. On trouve des nids en cire chez les abeilles, mais aussi en fibres de bois, en feuilles ou en terre chez d'autres espèces. Il n'est d'ailleurs pas rare de voir ces animaux récolter des matériaux de construction dans la nature.

*Au centre du nid se trouvent de petites cellules dans lesquelles la reine pond ses œufs*

### L'heure du grignotage

Si tu rencontres une guêpe immobile sur une barrière en bois, approche-toi doucement, tends bien l'oreille et tu l'entendras certainement grignoter le bois. La couleur d'un nid de guêpes dépend de l'essence de bois qui le compose.

## LES FOURMILIÈRES

**Les fourmis rousses ▲**
Ces nids, qui peuvent accueillir des milliers de fourmis, sont composés de brindilles et d'aiguilles de pin.

Les fourmis sont les insectes les plus répandus au monde. Elles peuplent les bois et les villes. Les fourmilières sont souvent souterraines bien qu'on en trouve sous des rondins ou des feuilles. Quand on dérange une colonie, les ouvrières mettent les larves en sécurité.

*Le nid est formé de nombreuses parois faites de pâte à papier superposées*

## Une maison en papier

Les guêpes communes construisent leur nid à partir de fibres de bois qu'elles mastiquent pour former une sorte de pâte à papier. Une fois étalée, cette pâte forme les murs du nid. Pendant que la reine est occupée à pondre, les ouvrières entretiennent le nid et l'agrandissent.

*Les guêpes mélangent des fibres de bois à leur salive en les mastiquant longuement*

## LES TERMITIÈRES

**Bien au frais ▲**
Les termites africains construisent des nids aux côtés aplatis qui restent frais en plein soleil.

Ces nids sont les plus gigantesques que l'on rencontre chez les insectes. Les plus petits sont constitués de fibres de bois tandis que les plus grands sont entièrement faits en terre molle qui durcit sous l'effet du soleil.

## ATTENTION

Les guêpes et les fourmis défendent leur nid avec acharnement. Ne t'en approche pas trop car tu risquerais de te faire piquer ou mordre.

# Sur la piste des fourmis

Ces travailleuses infatigables sont prêtes
à parcourir des kilomètres pour trouver
de la nourriture. Si l'une d'elles fait une
découverte, les autres viendront vite l'aider
à la rapporter. La vue des fourmis
est mauvaise, mais leur odorat est très
développé. Quand elles se déplacent,
elles laissent une trace odorante pour
retrouver leur chemin. Donne-leur de
la nourriture et tu verras avec quelle
rapidité elles la ramèneront au nid !

**CE QU'IL TE FAUT**

- des miettes de pain,
  de biscuit ou de chips
- une loupe
- une brindille
- une montre

**1** **Cherche** une file de
fourmis dans ta cour ou
ton jardin et dépose des miettes
à proximité. Ensuite, dispose la
brindille à un mètre des miettes
en suivant la file. Dès que les
fourmis trouvent la nourriture,
note l'heure à ta montre.

**2** **Éloigne-toi** et regarde-les
transporter les miettes.
Lorsque les fourmis dépassent
le repère, note l'heure à
nouveau. Ainsi, tu sauras
combien de temps il leur a
fallu pour parcourir un mètre
avec leur chargement.

*Les ouvrières
saisissent la
nourriture
dans leurs
mandibules*

## RENCONTRES ET SALUTATIONS

Lorsqu'elles se rencontrent, les
fourmis se touchent avec leurs
antennes pour savoir à qui elles ont
affaire. Chaque colonie dégage une
odeur différente et lorsque deux
fourmis se croisent, elles savent
immédiatement si elles sont du même
nid. Les fourmis transportent aussi
sur elles les effluves de la nourriture
qu'elles ont découverte et peuvent
donc se transmettre des informations
à son sujet.

**Des antennes bien utiles ▶**
Ces deux fourmis rouges se touchent
les antennes. Elles les utilisent à la fois
pour se sentir et pour goûter la
nourriture qu'elles rencontrent.

## LES FOURMIS VOLANTES

Les fourmis volantes ne sortent que par temps chaud. Elles grandissent au sein du nid où des ouvrières prennent soin d'elles. Lorsque le temps se réchauffe, les ouvrières les font sortir pour qu'elles s'envolent former de nouvelles colonies. Si tu vois des fourmis volantes, observe les oiseaux. Ils seront ravis de ce festin ailé !

**Décollage imminent !** ▶
Ces fourmis volantes s'apprêtent à décoller. Les mâles meurent peu après l'accouplement et les femelles perdent leurs ailes dès l'atterrissage. Elles partent ensuite former une nouvelle fourmilière.

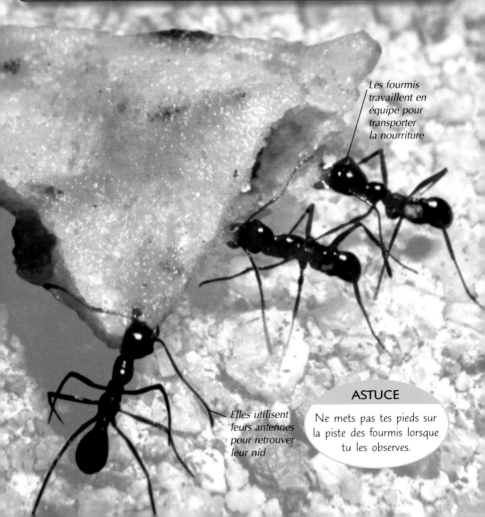

*Les fourmis travaillent en équipe pour transporter la nourriture*

*Elles utilisent leurs antennes pour retrouver leur nid*

### ASTUCE

Ne mets pas tes pieds sur la piste des fourmis lorsque tu les observes.

# Amis et ennemis

Les pucerons font partie des insectes qui se reproduisent le plus rapidement au monde. Ils se nourrissent de sève et sont très faciles à repérer car ils ne peuvent pas s'enfuir. Pour se protéger de leurs nombreux ennemis, les pucerons ont recours à des gardes du corps hors pair : les fourmis. Il est d'ailleurs courant de les voir se promener sur le dos des pucerons dont elles assurent la sécurité. En échange de ce travail, les fourmis reçoivent des gouttes de miellat bien méritées.

### Travail d'équipe

Cette fourmi récolte du miellat. Cette substance produite par les pucerons sera rapportée à la fourmilière. Si d'autres insectes s'approchent des pucerons, les fourmis les attaquent et les chassent.

*La fourmi caresse les pucerons avec ses antennes pour qu'ils libèrent le miellat*

*Les pucerons pompent la sève des plantes grâce à leurs pièces buccales pointues*

### QUI VIT OÙ ?

C'est au printemps et au début de l'été que l'on trouve le plus de pucerons au sommet des plantes et sous les feuilles.

Voici quelques-uns de leurs végétaux préférés :
- Haricots
- Arbres fruitiers
- Pommes de terre
- Rosiers

## Familles nombreuses

Le puceron pond des œufs, mais il peut aussi donner naissance à des petits, comme le montre la photo ci-dessus. En été, les femelles ont souvent plusieurs petits par jour et c'est pourquoi leur population croît très rapidement. De plus, le puceron est l'un des seuls insectes à se reproduire sans s'accoupler.

## Les mangeurs de pucerons

Les coccinelles et leurs larves sont les amis des jardins car elles permettent de limiter les invasions de pucerons. Les chrysopes représentent aussi un danger pour les pucerons car elles pondent à l'intérieur de leurs corps. Ces prédateurs ne craignent pas les fourmis.

## LE MIELLAT

Les pucerons absorbent plusieurs fois leur poids de sève en une journée et doivent donc se débarrasser du surplus d'eau et de sucre. C'est ainsi que se forme le miellat. Si tu es sous un arbre envahi par les pucerons, tu sentiras peut-être une brume de miellat se poser sur ta peau. Ce liquide laisse des traînées brillantes sur les feuilles et des taches collantes sur les voitures.

**Fourmi se nourrissant de miellat ▲**
Lorsque le miellat se dépose sur les feuilles, il forme une moisissure dangereuse pour les pucerons. Les fourmis empêchent cela de se produire.

# Les galles

Les larves de certaines espèces ont une astuce infaillible pour passer inaperçus : elles sécrètent des substances qui obligent les plantes à leur fournir un abri. Ces excroissances appelées galles ressemblent à des fruits ou à de petits bourgeons. Les larves s'y installent et profitent de leur chair juteuse jusqu'à l'âge adulte. Les galles se forment sur les arbres, les buissons et les hautes herbes. Si tu en trouves, essaie de les ouvrir pour voir si elles contiennent toujours un occupant.

## CE QU'IL TE FAUT

- des galles issues de différentes plantes
- un couteau bien aiguisé
- une planche à découper
- une loupe

Demande à un adulte de t'aider à ouvrir les galles car il y en a de très dures.

*Les galles « cerises » se développent sous les feuilles de chêne*

**1** **Inspecte** les feuilles, le sommet des tiges et les brindilles pour trouver des galles. Les chênes sont particulièrement appréciés des insectes producteurs de galles.

**2** **Observe** bien la galle. Si elle présente un trou, c'est que l'insecte en est déjà sorti. S'il n'y a pas de trou, ouvre-la : tu y trouveras peut-être une larve.

*La chair spongieuse de la galle abrite la larve et la nourrit*

*La larve installée au milieu de la galle s'en nourrit à mesure qu'elle grandit*

## LES PROTECTEURS DES PLANTES

Dans les régions chaudes de la planète, il existe des fourmis arboricoles qui nichent dans des galles vides. L'arbre leur fournit de la nourriture et en échange, les fourmis le protègent. Si un animal tente d'en manger les feuilles, les fourmis sortent immédiatement de leur nid pour mordre et piquer l'intrus jusqu'à ce qu'il s'en aille.

**L'acacia ▲**
Cet arbre d'origine africaine possède une galle vide sous chacune de ses épines. Les fourmis y percent un trou pour y emménager. Lorsque le vent se lève, ces galles produisent un curieux sifflement.

## Agression extérieure

Les larves cachées dans les galles échappent au bec des oiseaux mais pas aux attaques d'autres insectes, mouches et guêpes, qui pondent à l'intérieur de leur abri. Les larves de mouches se nourrissent de la galle tandis que les larves de guêpes dévorent son occupant.

*Cette guêpe parasite dépose ses œufs dans une noix de galle*

*La guêpe perce un trou dans la galle à l'aide de son oviposteur (organe de ponte)*

### ASTUCE

En automne, cherche les galles sur les brindilles et les feuilles mortes.

*Les noix de galle ressemblent à de petites billes de bois*

## Les types de galles

Chaque larve a sa plante préférée et produit toujours le même type de galle sur le même type de végétal. Certaines galles sont molles et ne durent qu'un temps, tandis que d'autres prennent l'apparence du bois à la fin de l'été. Tu peux alors les ramasser et les collectionner.

**Les galles boutons ▶**
Ces galles molles se développent en grappe sous les feuilles de chêne. Chacune ressemble à un petit bouton. Les guêpes qui les produisent ne mesurent que 3 mm de long.

**Les galles des glands ▶**
Elles se développent sur des glands. Ces grosses excroissances noueuses restent accrochées très longtemps aux fruits.

**Les galles chevelues ▲**
Ce sont les galles du rosier sauvage. Douces et duveteuses, elles cachent un cœur dur comme du bois. Chaque galle abrite de nombreuses larves.

# Tunnels et galeries

Pour les larves, il n'existe pas d'endroits plus sûrs pour se développer que les feuilles et le bois où elles trouvent nourriture et protection. S'il est difficile d'apercevoir ces larves, il est en revanche très aisé d'observer les signes qui témoignent de leur présence. Les mineuses creusent des galeries dans les feuilles tandis que les scolytes percent des tunnels dans le bois des arbres morts.

*Ces galeries ont été creusées par une chenille*

*La chenille est sortie de la feuille à cet endroit*

## Les mineuses

Ces minuscules chenilles vivent entre les deux épidermes des feuilles où elles creusent des galeries pour se nourrir. La galerie s'élargit à mesure que la larve grossit et cesse brutalement à l'endroit où l'insecte perce la feuille pour devenir adulte.

## OBSERVATION DES GALERIES

Les mineuses s'attaquent à différentes sortes de végétaux avec une préférence pour les ronces et les arbres fruitiers. Les galeries sont très visibles sur les feuilles de ces plantes, surtout en été et au début de l'automne. Pour mieux les étudier, il suffit de coller une feuille à une vitre avec du ruban adhésif. Tu pourras alors voir en transparence les galeries creuses. Observe bien l'extrémité la plus épaisse de ces galeries : les chenilles sont peut-être encore là.

### ◄ Une exposition de galeries

Si tu observes plusieurs galeries, tu verras qu'il en existe de très différentes. Certaines mineuses se promènent dans toute la feuille, tandis que d'autres préfèrent rester au même endroit.

### Les galeries larvaires

Cette mineuse qui se nourrit d'une feuille de chêne abandonne ses excréments derrière elle au milieu de la galerie. La plupart des mineuses sont de petites chenilles auxquelles s'ajoutent quelques larves de coléoptères et de mouches.

*La galerie commence à l'endroit où un papillon a pondu*

## L'EMPREINTE DE L'ÉCORCE

Les tunnels creusés par les scolytes forment des motifs très intéressants car chaque larve se déplace de façon différente. On trouve des réseaux faits de tunnels parallèles ou encore de vermoulures étoilées. Pour garder un souvenir de tous les motifs rencontrés, réalise une empreinte de chacun. Accroche une feuille de papier sur un morceau d'écorce rongé par des scolytes et frotte-la avec un crayon gras.

▲ **La bonne méthode**
Pour faire une belle empreinte, utilise toujours un crayon gras et n'appuie pas trop fort.

### Les scolytes

Ces larves de coléoptère qui se nourrissent de bois creusent des tunnels juste sous l'écorce des arbres. Pour trouver ces tunnels, inspecte les arbres morts et les grands morceaux d'écorce tombés à terre. Chaque tunnel est l'œuvre d'une seule larve et ils forment parfois d'immenses réseaux.

# Mouches et moustiques

Les insectes diptères, comme les mouches et les moustiques, ne sont guère appréciés des humains car ils piquent ou pondent sur la nourriture. Cependant, les petites drosophiles sont inoffensives et très faciles à élever.

Appâte-les avec des fruits et tu verras qu'en seulement sept jours leurs œufs auront éclos car elles grandissent mille fois plus vite que l'homme !

## CE QU'IL TE FAUT

- une banane bien mûre
- un couteau • une planche à découper
- un grand pot de confiture • un carré de mousseline de 10 cm de côté • un élastique

**1** **Coupe** la banane en tranches épaisses sans la peler.

### ATTENTION

N'oublie pas de vider le pot une fois l'expérience terminée. Si tu le peux, verse son contenu sur un tas de compost.

**2** **Mets** les tranches dans le pot et dépose-le dans un endroit ensoleillé près d'une fenêtre ouverte. Les drosophiles viendront y pondre leurs œufs. Au bout de vingt-quatre heures, couvre le pot avec la mousseline retenue par l'élastique.

## DES YEUX ÉTONNANTS

Il te faut de très bons yeux pour observer les drosophiles car elles ne mesurent que 5 mm de long. Mets ta vue à l'épreuve et essaie d'observer leurs yeux, souvent très colorés. Les drosophiles se servent surtout de leur odorat pour localiser la nourriture et elles n'ont donc pas une vision très développée. Tu les verras souvent voleter au-dessus des verres de jus de fruit et de vin car elles sont friandes d'odeurs fruitées et sucrées.

▲ **Elle t'a à l'œil !**
Voici les yeux d'une drosophile en gros plan. Généralement, ils sont de couleur rouge ou bleue.

## Les espèces nuisibles

De nos jours, on recense plus de 120 000 espèces de diptères. Chez les insectes, c'est un des ordres qui compte le plus d'individus. Les diptères possèdent une seule paire d'ailes et la plupart sont inoffensifs quoiqu'il existe tout de même des espèces nuisibles.

**La mouche domestique** ▲
Elle se nourrit de substances sucrées qu'elle pompe à l'aide de ses pièces buccales. Elle dépose sa salive sur les aliments et transporte des microbes sur ses pattes.

**Le moustique** ▲
Le mâle se nourrit de nectar et la femelle de sang qu'elle aspire en perçant la peau grâce à ses pièces buccales. Ces piqûres sont souvent sans danger, mais certains moustiques transmettent des maladies, comme la malaria.

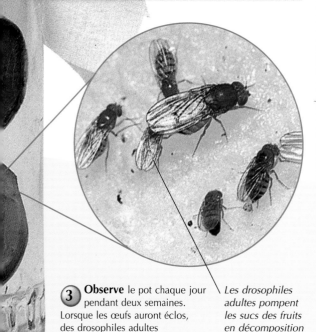

**3 Observe** le pot chaque jour pendant deux semaines. Lorsque les œufs auront éclos, des drosophiles adultes commenceront à apparaître.

*Les drosophiles adultes pompent les sucs des fruits en décomposition*

**Le taon** ▲
La morsure de cet insecte, qui incise la peau avec ses mandibules pour se nourrir de sang, est assez douloureuse. Il s'attaque aux animaux de ferme et aux hommes.

# Un bon bain de soleil

Le corps des insectes ne produit pas de chaleur comme celui des humains, c'est pourquoi ils ont besoin de soleil pour pouvoir se déplacer. Lorsque la température est élevée, les insectes sont plus actifs que lorsqu'il fait froid. L'hiver, certains préfèrent même ne plus bouger du tout. L'aube est l'un des meilleurs moments de la journée pour observer les insectes qui viennent se réchauffer au soleil.

## OÙ LES TROUVER ?

- Ceux qui se réchauffent : sommet des plantes, sur le sol face au soleil levant.
- Ceux qui se rafraîchissent : endroits ombragés, sur le sol humide.
- Ceux qui hibernent : sous les pierres et l'écorce, dans les garages et abris de jardins.

## Chauffage naturel

Pour absorber plus de chaleur, ce morpho bleu a étendu ses ailes qui fonctionnent comme des panneaux solaires. Plus tard dans la journée lorsque le temps est chaud, ce papillon replie ses ailes au repos. Il est alors plus difficile à apercevoir.

*Les ailes, et surtout leurs parties les plus sombres, absorbent la chaleur qu'elles transmettent ensuite au corps*

## UNE REPRODUCTION RAPIDE

Non seulement la chaleur rend les insectes plus actifs, mais elle les aide aussi à grandir plus vite. Lorsque la température est de 15 °C, une mouche bleue met jusqu'à sept semaines à se développer, mais lorsqu'elle monte à 30 °C, la mouche peut atteindre l'âge adulte en seize jours seulement. Voilà pourquoi l'été est la saison des insectes.

**La pupe** ▶
Les larves se nourrissent pendant un peu plus d'une semaine avant de se métamorphoser en pupes. En été, la pupe donne un adulte prêt à se reproduire en trois ou quatre jours.

**La mouche adulte** ▶
Si le beau temps dure, une mouche bleue peut devenir arrière-arrière-grand-mère en seulement deux mois. Lorsque le temps se rafraîchit, les mouches cessent de se reproduire et leur nombre diminue.

**L'asticot** ▼
Les mouches bleues pondent leurs œufs sur la viande. Par temps chaud, les œufs éclosent en moins d'une journée.

## L'hibernation
En hiver, on rencontre peu d'insectes car la plupart préfèrent hiberner en attendant le retour des beaux jours. Beaucoup passent l'hiver sous forme d'œuf ou de larve, souvent sous l'écorce ou plus rarement dans les arbres, comme ces coccinelles.

# Les insectes aquatiques

Les cours d'eau et les étangs abritent de nombreuses espèces qui vivent sous l'eau ou à sa surface, comme les gerris. Ce sont surtout des larves que l'on trouve sous l'eau, mais certains insectes y passent leur vie entière. Pour capturer ces petites bêtes, rien de tel qu'une épuisette. Si tu n'en as pas, assieds-toi au bord de l'eau sans faire de bruit et tu pourras ainsi observer toutes celles qui remontent à la surface pour respirer.

*Les pattes postérieures servent de gouvernail*

*Le poids du gerris est réparti entre ses six longues pattes*

*Les pattes antérieures détectent les vaguelettes produites par un insecte qui se noie*

## LA TENSION DE SURFACE

Pour comprendre pourquoi les gerris ne coulent pas, fais l'expérience suivante. Remplis un bol d'eau et attends que la surface soit stable. Ensuite, saisis un trombone avec une pince à épiler et dépose-le délicatement sur l'eau. Le trombone très léger flotte à la surface exactement comme un gerris sur un étang.

◄ **Des trombones qui flottent**
Grâce à la tension de surface, la surface de l'eau réagit un peu comme un film plastique. C'est pour cela que les objets légers ne coulent pas.

Les pièces buccales acérées transpercent les proies

Les pattes du milieu servent de rames

La corise ponctuée ▲

## Patinage artistique

Le gerris est une sorte de punaise carnivore capable de marcher sur l'eau. Il possède des pattes hydrofuges qui repoussent l'eau et lui permettent de patiner bien au sec à la surface. Pour se nourrir, le gerris s'attaque aux insectes qui se sont écrasés dans l'eau.

Les insectes aquatiques possèdent en général des ailes puissantes dont ils se servent en été pour voler d'étang en étang. Pour le prouver, attrape une corise ponctuée comme celles de la photo avec ton épuisette et dépose-la au sol sans y toucher car elle pourrait te mordre. Si elle n'arrive pas à retrouver le chemin de l'étang, elle attendra d'être sèche avant de s'envoler vers un nouveau point d'eau.

## Prendre son envol

Cette larve de demoiselle quitte l'étang après deux ans de vie sous l'eau. Elle mue une dernière fois, puis déplie ses ailes pour s'envoler. Si tu veux assister à cette incroyable métamorphose, rends-toi près d'un étang un matin calme d'été, époque où les larves de demoiselle et de libellule sortent de l'eau.

## De l'air !

Pour observer comment respirent les insectes aquatiques, trouve une citerne ou un abreuvoir. Tu verras que les larves de moustique (photo) ont une sorte de tuba intégré. À ton arrivée, elles vont plonger puis remonter.

# Les araignées

Qui n'a jamais eu peur d'une araignée et de ses longues pattes velues ? Pourtant, c'est un animal fascinant et très utile qui régule à lui tout seul la population d'insectes, ses proies favorites. L'araignée traque ses victimes et les capture dans ses filets de soie. La prochaine fois que tu en rencontres une, regarde-la dans les yeux. Elle en a tellement que tu ne sauras plus où donner de la tête !

**ATTENTION**

N'attrape jamais une araignée à mains nues car certaines sont venimeuses et d'autres couvertes de petits poils qui se plantent dans la peau.

## À quoi ressemblent-elles ?

Une araignée a huit pattes, alors que les insectes n'en ont que six, deux crochets venimeux et une minuscule bouche. Contrairement aux insectes, elle n'a ni antennes, ni ailes. Les araignées de maison, comme ci-dessous, ont huit yeux.

Les huit yeux permettent une vision panoramique

Le corps est formé de deux parties : le céphalothorax et l'abdomen

Les crochets venimeux poignardent la proie

L'araignée injecte ses sucs digestifs dans le corps de la mouche pour le liquéfier

## DES ARAIGNÉES BIEN CACHÉES

Si certaines araignées ne craignent pas de se promener à découvert, beaucoup d'espèces, au camouflage très étudié, préfèrent rester cachées dans l'écorce ou parmi les feuilles. Quant aux plus grosses araignées du monde, elles se tapissent dans leur terrier en attendant que la nuit tombe pour aller chasser.

**Promenade nocturne ▼**
C'est au crépuscule que la tarentule sort de sa cachette pour se nourrir.

## Plus de 40 000 espèces !

Sur terre, on trouve plus de 40 000 espèces d'araignées de toutes les tailles et de toutes les formes. Essaie de dénicher les suivantes dans ta cour, dans ton jardin ou même dans ta maison.

**Les araignées-crabes ▶**
Ces araignées colorées se cachent dans les fleurs où elles capturent les insectes venus s'y nourrir. Elles ne mesurent que deux centimètres de long et pourtant leur venin peut tuer un bourdon ou un papillon.

**◀ Les araignées sauteuses**
Elles possèdent de grands yeux à l'avant de la tête, des pattes courtes et un corps rayé. Elles bondissent sur leurs proies pour les capturer.

*Les pattes sont couvertes de poils sensibles qui détectent les vibrations des autres animaux*

**Les araignées orbitèles ▶**
Ces araignées piègent des insectes dans leur toile circulaire. Les plus grandes espèces vivent dans les pays chauds et peuvent tisser des toiles de plus d'un mètre de diamètre.

**◀ Les araignées agélènes**
Ces araignées au long corps et aux huit yeux vivent dans les jardins. Pour échapper au danger, elles se cachent derrière des brins d'herbe ou des brindilles.

*On trouve au bout des pattes une griffe ou un coussinet*

# Des pièges ingénieux

Les araignées orbitèles sont à l'origine de quelques-uns des plus beaux chefs-d'œuvre du monde animal. Grâce à l'élasticité de leur soie et à leur technique de tissage, leurs toiles sont des pièges à la fois résistants et efficaces. Afin de mieux connaître le fonctionnement d'une toile, construis-en une toi-même avec du fil élastique.

## CE QU'IL TE FAUT

- une planche de bois de 50 cm de côté
- une feuille de papier de couleur de 60 cm de côté
- une paire de ciseaux
- du ruban adhésif
- un anneau de porte-clés ou une rondelle de métal
- 4 m de ruban élastique de 5 mm de large
- 12 épingles à tête colorée ou punaises
- une bobine de 10 m de fil élastique fin

*Les nœuds représentent les endroits où l'araignée colle sa spirale aux rayons*

**1** **Recouvre** la planche avec le papier, puis place l'anneau au centre. Enfiles-y un morceau de ruban élastique et épingle ses deux extrémités au bord de la planche. Coupe les morceaux qui dépassent de la planche.

**2** **Fabrique** deux autres rayons que tu épingles à l'opposé des premiers. Ajuste le ruban pour qu'il soit bien tendu et que l'anneau soit centré. Coupe ce qui dépasse.

## LA SOIE

Grâce à une loupe, tu verras comment l'araignée la produit. La soie sort par de petits orifices, les filières, comme du dentifrice sort d'un tube. Au contact de l'air, elle durcit et se transforme en fils élastiques. Pour leur toile, les araignées produisent de la soie sèche (pour les rayons) et de la soie adhésive (pour la spirale).

**Le tissage** ▶

Cette araignée fabrique des fils de soie sèche qui formeront les rayons de sa toile.

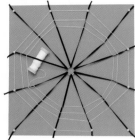

**3** **Pour** les autres rayons, procède de la même façon : deux rayons d'un côté, deux rayons de l'autre. Tends bien le ruban pour que l'anneau reste toujours au centre.

**4** **À partir** du centre, forme une spirale avec le fil élastique bien tendu en l'enroulant autour de chaque rayon.

*Les toiles orbitèles affichent souvent un cercle au centre*

**5** **Lorsque** tu as fini, épingle l'extrémité de l'élastique. La tension du fil va permettre à la toile de maintenir sa forme.

## Les types de toiles

Souvent, lorsqu'on dessine une toile d'araignée, on représente une toile circulaire. Pourtant, les araignées ne manquent pas d'imagination. En voici quelques exemples :

**La toile triangulaire ▲**
Cette toile est formée de quatre rayons accrochés à une brindille qui maintient la tension des fils.

**La toile en forme de hamac ▲**
Il s'agit d'un tapis de soie sur lequel l'araignée ajoute un enchevêtrement de fils pour attraper les insectes.

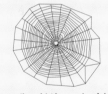

**La toile orbitèle ou circulaire ▲**
On reconnaît cette toile à son cercle central où se place l'araignée pour guetter ses proies.

**La toile en forme d'entonnoir ▲**
Les araignées qui vivent dans des terriers les tapissent de ce genre de toile, mais on les trouve aussi sous des pierres.

# De bonnes vibrations

Même si elles ont de nombreux yeux,
les araignées n'y voient pas très bien et
comptent plutôt sur leur sens du toucher
pour localiser leurs victimes. Lorsqu'un
insecte pris dans une toile se débat, il
produit des vibrations qui indiquent sa
présence à l'araignée. Essaie de faire
vibrer une toile avec un brin d'herbe
ou mieux, un diapason, et tu verras
sûrement sa propriétaire accourir.

## CE QU'IL TE FAUT

• un brin d'herbe ou un diapason

 Fais attention à ne pas abîmer les toiles.

## COMMENT SE NOURRIT UNE ARAIGNÉE

Les araignées ont une si petite bouche que pour se nourrir, elles doivent injecter leurs sucs digestifs dans le corps de leurs victimes pour les liquéfier. Ensuite, elles aspirent ce mélange et laissent derrière elles une enveloppe vide. Certaines espèces enroulent leur proie dans de la soie avant de la manger, d'autres la laissent pendre à leur toile ou la rapportent à leur repaire.

**Emballage soyeux** ▲
Cette épeire diadème est en train
d'emballer un petit insecte dans
de la soie.

## Quelle agitation !

Ramasse un brin d'herbe et tapote-le contre une toile d'araignée. Si l'extrémité du brin vibre assez vite, l'araignée le prendra pour un insecte volant et se précipitera vers lui. Cesse de l'agiter et tu verras l'araignée s'arrêter net. Tu peux faire la même expérience avec un diapason. Cogne-le contre un objet dur pour le faire vibrer et approche-le doucement d'un côté de la toile.

## LES ARAIGNÉES FOUISSEUSES

On trouve dans certains pays chauds des araignées qui vivent dans des terriers fermés par une petite trappe. Ces araignées fouisseuses étendent des fils de soie tout autour de leur tanière pour détecter la présence de proies. Dès qu'un insecte frôle l'un de ces fils, l'araignée sort de son trou et le capture. Si un jour tu trouves une de ces trappes, soulève-la avec une brindille. L'araignée qui l'occupe va soit se cacher tout au fond, soit s'enfuir en courant.

**Le dîner est servi !** ▶
Cette araignée fouisseuse a détecté la présence d'une proie qu'elle va attraper.

# Au bout du fil !

Lorsqu'une araignée se déplace, elle laisse derrière elle un long fil de soie, appelé fil de traîne, qu'elle utilise lorsqu'elle se laisse tomber dans le vide. Ce fil est si fin qu'il est presque invisible. Il peut néanmoins supporter le poids de l'araignée. Si tu obliges une araignée à bondir, tu verras le fil de traîne en pleine action. Bien plus pratique qu'une bobine de fil, il ne s'emmêle pas et ne vient jamais à manquer !

## CE QU'IL TE FAUT

- un pot de confiture
- un carré de carton
- une araignée
- un pinceau fin

*Renverse le pot très lentement pour que l'araignée ne soit pas prise au dépourvu*

## LE FIL DE TRANSPORT

**Le fil de soie**

En été, on voit souvent de petites araignées se poser sur nous. Comment sont-elles arrivées là ? En volant, tout simplement ! Elles s'accrochent à un fil de soie et quand le vent se lève, elles décollent. Le soir, cherche ces fils de transport, aussi appelés fils de la Vierge, abandonnés sur l'herbe.

**Le décollage**

◄ **Le décollage**
Pour s'envoler, une araignée doit d'abord grimper au sommet d'un brin d'herbe, pointer son abdomen vers le ciel et libérer un fil de soie dans les airs. Si le vent souffle suffisamment fort, il va emporter le fil et l'araignée.

**Le vol**

**1** **Cherche** une araignée dans un recoin de ta maison ou dans ton jardin et attrape-la à l'aide du pot et du carton.

**2** **Retourne** le pot et secoue-le doucement pour faire descendre l'araignée tout au fond. Retire le carton de l'ouverture.

**3** **Attrape** ton pinceau, puis renverse doucement le pot en le gardant à la hauteur de tes yeux. Sers-toi du pinceau pour faire sortir l'araignée.

**4** **L'araignée** va s'accrocher au pot et se laisser tomber. Elle peut cesser de produire de la soie en fermant ses filières et remonter le long de son fil de traîne.

## ATTENTION

Réalise cette expérience dehors si tu ne veux pas que l'araignée s'échappe dans ta maison. N'attrape pas l'araignée avec tes mains.

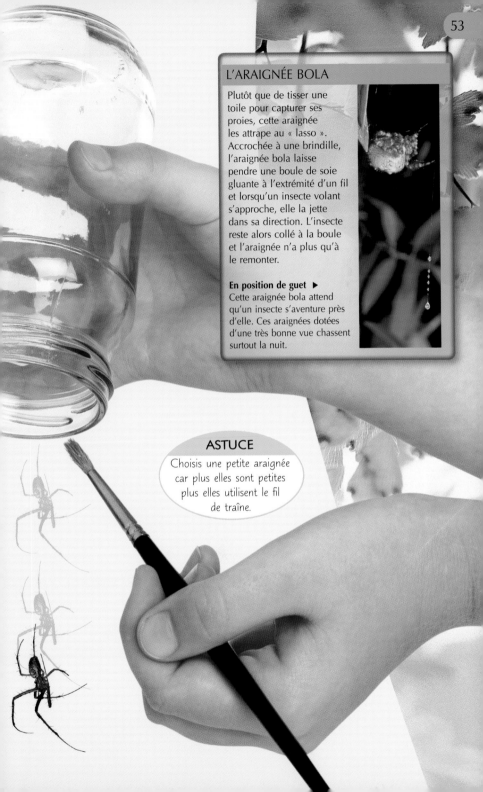

## L'ARAIGNÉE BOLA

Plutôt que de tisser une
toile pour capturer ses
proies, cette araignée
les attrape au « lasso ».
Accrochée à une brindille,
l'araignée bola laisse
pendre une boule de soie
gluante à l'extrémité d'un fil
et lorsqu'un insecte volant
s'approche, elle la jette
dans sa direction. L'insecte
reste alors collé à la boule
et l'araignée n'a plus qu'à
le remonter.

**En position de guet ▶**
Cette araignée bola attend
qu'un insecte s'aventure près
d'elle. Ces araignées dotées
d'une très bonne vue chassent
surtout la nuit.

## ASTUCE

Choisis une petite araignée
car plus elles sont petites
plus elles utilisent le fil
de traîne.

# Des araignées sans toile

Toutes les araignées produisent de la soie, mais seulement quelques-unes l'utilisent pour tisser des toiles destinées à attraper des insectes. Beaucoup d'espèces préfèrent traquer leurs proies. Parmi ces chasseurs, on trouve de petites araignées de maison mais aussi d'énormes tarentules. En général, les araignées se construisent une tanière, mais certaines préfèrent vagabonder.

## UNE ARAIGNÉE DANS LA BAIGNOIRE

◄ **Sauvetage in extremis**
Si tu trouves une araignée dans ta baignoire, ne la noie pas ! Utilise un pot de confiture et un morceau de carton pour la mettre dehors. Renverse le pot sur l'araignée, puis glisse le carton sous l'ouverture. Retourne le pot, enlève le carton et visse le couvercle.

Mais que font ces araignées dans la salle de bain ? Essaient-elles de nous faire peur en se cachant dans la baignoire ou le lavabo ? On dit souvent qu'elles se faufilent par les canalisations, mais c'est totalement faux. Tandis qu'elles sont à la recherche de nourriture, il leur arrive de tomber dans la baignoire et comme ses parois sont trop glissantes, les araignées s'y retrouvent prisonnières.

*La couleur vive de cette araignée alerte tout de suite l'œil d'un humain mais pas celui d'un insecte*

### Dans les fleurs...

Si tu vois une abeille qui semble « accrochée » à une fleur, il se peut qu'elle soit la victime d'une araignée-crabe. Cachée dans une fleur, cette araignée étend ses pattes antérieures à la manière des pinces d'un crabe et attend qu'un insecte se pose pour le capturer.

## La chasse au sol
De nombreuses espèces, comme cette lycose, préfèrent chasser sur la terre ferme. Grâce à leur rapidité, elles peuvent attraper n'importe quel type de proie.

*La tarentule doit son sens développé du toucher aux petits poils qui couvrent ses pattes*

## La chasse nocturne
La tarentule est la plus grosse araignée au monde. Elle passe la majorité de sa vie au sol bien qu'on la rencontre parfois dans les arbres. Cette espèce chasse la nuit à l'aide de ses pattes très sensibles.

*Les crochets sont dirigés vers le bas pour maintenir la proie au sol pendant l'attaque*

### OUVRE L'ŒIL !

Les araignées sauteuses sont de petites créatures amusantes que l'on trouve sur les barrières et les murs. Dotées d'une très bonne vue, elles bondissent sur leurs proies pour les capturer. Si tu en découvres une, saisis-toi d'un crayon et fais-le tourner autour de l'araignée. Elle va alors se mettre à tourner pour regarder le crayon et peut-être qu'elle te jettera un petit coup d'œil !

◄ **Vision panoramique**
Contrairement à leurs congénères, les araignées sauteuses n'ont pas peur des humains. Rien n'échappe à leurs grands yeux !

# La vie de famille

Cela peut surprendre, mais les araignées sont des parents attentifs qui protègent leurs œufs et portent même leurs petits sur le dos. Les jeunes araignées s'accrochent au corps de leur mère pendant plusieurs jours jusqu'à ce qu'elles puissent vivre toutes seules. Mais pour avoir des petits, une araignée doit avant tout s'accoupler. Pour le mâle, l'accouplement est une affaire dangereuse. Au moindre faux pas, la femelle peut décider d'en faire son dîner plutôt que son partenaire.

### Elle ou lui ?

Chez les araignées, la femelle est souvent beaucoup plus grosse que le mâle comme on peut le voir ci-dessus avec ces veuves noires. Si tu vois sur une toile une petite araignée s'approcher d'une plus grosse, il s'agit sûrement d'un couple.

### Une approche délicate

Cette lycose mâle signale à une femelle qu'il ne lui veut aucun mal et qu'ils peuvent s'accoupler. Pour la prévenir, le mâle agite ses palpes comme des bras. Les mâles des espèces vivant sur des toiles avertissent les femelles en leur donnant de petits coups.

*Le mâle agite ses palpes de haut en bas tout en s'approchant de la femelle*

### De précieux balluchons

Pour protéger leurs œufs, les araignées femelles les emballent dans de petits sacs de soie qu'elles accrochent ensuite à une plante ou cachent dans la fissure d'un mur. Certaines espèces préfèrent les enterrer et d'autres, comme les lycoses, les portent sous le ventre.

*Le sac d'œufs est accroché sous le ventre de la mère ou attaché à ses filières*

## EN BOULE

Lorsque les petites épeires sortent de leur œuf, elles n'ont personne pour s'occuper d'elles. Elles se réunissent donc pour former une boule au milieu d'une toile tissée spécialement pour elles. Si tu en trouves une, tapote-la avec un crayon et tu verras les araignées s'éparpiller, puis reformer une boule. C'est une technique très utile pour échapper aux oiseaux.

**Sauve-qui-peut !** ▶
Ces petites araignées qui ont senti un danger s'éparpillent dans toutes les directions.

### En voiture !

Lorsque les lycoses sortent de leur œuf, elles grimpent immédiatement sur le dos de leur mère qui les emmène partout avec elle. Les jeunes, qui n'ont pas besoin de se nourrir, resteront accrochés ainsi jusqu'à leur première mue. Ce n'est qu'après qu'elles commenceront à chasser.

*Les jeunes se tiennent par les pattes et forment une sorte de couverture vivante autour de l'abdomen de leur mère*

## CE QU'IL TE FAUT

- un plateau assez profond
- du papier blanc ou un torchon
- une lampe d'architecte
- un sac plastique
- une petite pelle
- une loupe

# Qui vit dans l'humus ?

L'humus est le tapis de feuilles en décomposition qui couvre le sol. Il abrite toutes sortes de petits animaux qui apprécient cet environnement sombre et humide. Cette faune est très intéressante à étudier, mais malheureusement elle est assez difficile à apercevoir car elle préfère rester cachée. Pourtant, grâce à un peu d'humus et une lampe de bureau, il te sera possible d'explorer cet univers minuscule.

*Beaucoup d'insectes vivant dans l'humus se nourrissent de feuilles mortes*

*Les carcasses sont mangées par des charognards comme certains coléoptères*

## DE TOUT PETITS SCORPIONS

On trouve de très nombreux pseudoscorpions dans l'humus, mais ils sont tellement petits qu'ils passent souvent inaperçus. Ils ressemblent à de petits scorpions dépourvus de dard. Les pseudoscorpions se servent de leurs pinces pour capturer leurs proies et grimper sur le dos des insectes, leur moyen de transport favori.

**Un prédateur à pinces ▶**
Les pseudoscorpions possèdent de fines pinces, un corps en forme de poire ainsi que huit pattes. La plupart ne dépassent pas les trois millimètres de long.

**1** **Ramasse** de l'humus avec la pelle et mets-le dans le sac plastique. Choisis des feuilles bien humides car celles qui sont sèches contiennent moins d'animaux.

**2** **De retour** à la maison, tapisse le plateau de papier blanc. Dépose une pelletée d'humus au centre du plateau et étale-le en fine couche.

**3** **Installe** la lampe 30 cm environ au-dessus du plateau et allume-la. La lumière et la chaleur de l'ampoule vont faire sortir les animaux de leur cachette. Une fois qu'ils seront sur le papier, tu pourras les détailler avec ta loupe.

**4** **Lorsque** tu as terminé, va vider le plateau dehors dans un endroit ombragé.

*Les moisissures et les bactéries accélèrent la décomposition des feuilles*

## Les petites bêtes de l'ombre

L'humus regorge de toutes sortes de petites bêtes. Certaines ne mangent que des feuilles mortes et d'autres s'avèrent être de redoutables chasseurs. Durant ton expérience, essaie de trouver quelques-uns des animaux suivants.

**Le collembole ▶**
Ce petit insecte porte une sorte de ressort sous son abdomen, qui lui permet de s'échapper d'un bond.

**Le staphylin ▶**
On le trouve dans tous les sols végétaux. C'est un charognard, mais il chasse à l'occasion.

**◀ Le mille-pattes diplopode**
Le diplopode se nourrit de feuilles, de champignons et de bois décomposé. Lorsqu'on le touche, il se roule en boule.

**Le perce-oreille ▶**
On reconnaît cet animal à ses longues pinces. Il mange aussi bien des feuilles que des insectes.

**Le cloporte ▶**
Ce crustacé se nourrit de feuilles et de bois décomposé. Il doit absolument rester humide pour survivre.

**◀ Le mille-pattes chilopode**
Le chilopode est assez différent du diplopode. Grâce à son corps plat, il se faufile dans de petits recoins pour traquer ses proies.

## CE QU'IL TE FAUT

- deux briques de jus de fruit vides
- un marqueur
- une paire de ciseaux
- une agrafeuse
- du ruban adhésif solide
- du carton fin pour faire un couvercle
- des serviettes en papier
- des boules de coton
- de l'eau
- des cloportes et une araignée

# Quel habitat choisir ?

Pour savoir quel habitat les animaux préfèrent, effectue le test suivant : fabrique une chambre d'expérience composée de deux compartiments reliés par une fente. Crée des conditions différentes dans chaque compartiment et laisse les animaux décider lequel ils préfèrent. Les cloportes conviennent très bien pour cette expérience car ils reconnaissent d'instinct leur habitat. Quand tu auras terminé, tu pourras recommencer cette activité avec une araignée.

**1** **Trace** un trait autour de chaque brique à 5 cm en partant du bas. Découpe les briques le long de cette ligne et agrafe-les ensemble.

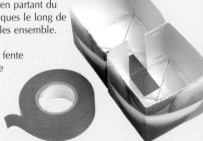

**2** **Découpe** une fente d'un centimètre de large pour relier les deux briques et colle du ruban adhésif sur le fond.

## PAS FOLLE LA GUÊPE !

Les insectes sont bien plus intelligents qu'on ne le croit. La guêpe fouisseuse, par exemple, retrouve toujours l'entrée de son terrier grâce à sa capacité à mémoriser les moindres détails du sol qui l'entoure. Mais cette guêpe a plus d'un tour dans son sac ! Pour fermer l'entrée de son terrier, elle utilise un petit caillou. Hormis les mammifères et les oiseaux, rares sont les animaux à se servir d'outils.

**Retrouver son chemin** ▲
La guêpe fouisseuse possède une très bonne mémoire qui lui permet de toujours retrouver son terrier creusé dans le sable.

**3** **Attache** un morceau de carton à l'un des côtés avec du ruban adhésif. Couvre le fond de chaque compartiment avec une serviette en papier et dispose du coton mouillé dans celui qui porte un couvercle.

**4** **Dépose** le même nombre de cloportes dans chaque compartiment et ferme le couvercle. Patiente dix minutes, puis compte combien il y a d'animaux de chaque côté.

*La fente permet aux cloportes de changer de compartiment*

*Le couvercle doit rester fermé pendant le test*

*Les cloportes évitent le compartiment sec et éclairé*

*Ils préfèrent l'environnement sombre et humide*

# Les vers de terre

Tout comme les insectes, les vers de terre ou
lombrics jouent un rôle très important sur terre.
Avec leur corps mou mais très efficace, ils aèrent
la terre en creusant de nombreux tunnels et
favorisent ainsi la croissance des plantes. Pour
comprendre comment ces vers se déplacent sous
terre, attrapes-en un et referme un peu ta main.
Il va se frayer un chemin entre tes doigts comme
il le ferait dans un tunnel.

*Le corps est
constitué
d'anneaux
musculaires
appelés
segments*

## L'ACCOUPLEMENT

Les vers de terre passent la majorité
de leur vie sous terre, mais à la fin
du printemps et au début de l'été, ils
s'aventurent à la surface pour y trouver
un partenaire. On les rencontre surtout
pendant les nuits chaudes et humides.
Pour les voir, munis-toi d'une lampe
de poche couverte d'une feuille de
plastique rouge (les vers réagissent
moins à la lumière rouge) et marche
doucement pour ne pas les effrayer.

**L'étreinte des vers** ▲
Pour s'accoupler, les vers de terre se collent
l'un à l'autre et se couvrent de mucus.

## CE QU'IL TE FAUT

• un ver de terre

*La selle est un
petit renflement
sur le corps
du ver*

## ATTENTION

Les lombrics sont des animaux
fragiles. Manipule-les
délicatement et repose-les dans
un endroit sombre et humide.

**①** **Une fois** que tu as
      trouvé un ver, essaie
de reconnaître sa tête de sa
queue. En général, la selle
se trouve plus près de la tête
qui est plus fine et plus
pointue que la queue.

## PRENDRE LA FUITE

Dès qu'un lombric s'approche de la surface, il se retrouve à la merci des oiseaux affamés. Pour échapper au danger, il compte sur son sens développé du toucher car il n'a pas de véritables yeux. Sa peau est parcourue de nerfs très sensibles et si un oiseau le touche, le ver contracte aussitôt son corps. Avec de la chance, il aura le temps de se cacher dans son trou avant que l'oiseau n'arrive à l'en sortir.

**Un bon petit déjeuner** ▲
Cette grive est sur le point d'avaler le ver qu'elle vient d'attraper. Les oiseaux trouvent les vers grâce à leur vue, mais aussi à leur ouïe qui détecte le bruit que font les lombrics en creusant le sol.

**(2) Ramasse** le ver et tiens-le délicatement par la queue. Il va remuer la tête, puis étirer son corps pour tenter d'atteindre le sol.

*Au début, les segments sont courts et épais*

*Le ver tente de sortir par chaque petite ouverture*

**(4) Enfin**, tiens le ver dans la paume de ta main et referme doucement tes doigts. Tu risques d'être surpris par sa force quand il essaiera de sortir.

**(3) En s'étirant**, le ver peut devenir deux à trois fois plus long. C'est de cette façon qu'ils progressent dans les tunnels et rampent sur le sol.

*Les segments s'étendent et deviennent plus longs et plus larges*

# Construis un vivarium

Il est difficile d'observer les lombrics car ils vivent sous terre, mais en construisant un vivarium tu pourras découvrir ce monde inconnu. Tu vas recréer leur habitat en empilant différentes couches de terre. Ainsi, tu pourras comprendre comment les lombrics permettent à l'eau de pluie de s'évacuer grâce à leurs tunnels et comment ils fertilisent le sol en mélangeant l'humus et la terre.

## CE QU'IL TE FAUT

- un long morceau de bois de 2,5 cm de côté découpé en : deux morceaux de 25 cm, un morceau de 30 cm, deux morceaux de 6 cm
- une scie et une perceuse
- deux feuilles de plastique dur et transparent de 25 cm sur 35 cm
- un tournevis et des vis
- de la terre et du sable
- de l'humus

Demande à un adulte de scier le bois et de percer les trous.

Demande à un adulte de t'aider à percer les trous et à scier le bois

Ne laisse aucun espace entre les pièces pour éviter les fuites

**1** **Scie** les morceaux de bois comme indiqué, puis perce trois trous bien répartis sur les petits côtés des feuilles de plastique et sur l'un des grands côtés.

**2** **Utilise** ces trous pour visser les feuilles de plastique aux morceaux de bois comme sur la photo. Visse ensuite les petits morceaux de bois qui restent à la base du cadre pour former les pieds.

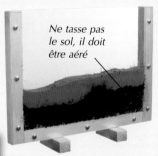

Ne tasse pas le sol, il doit être aéré

## LES DÉJECTIONS DES VERS

Au printemps, le sol se couvre de petits tas de terre. Il s'agit en fait de déjections de lombrics, composées de terre digérée par ces vers. S'il y en a beaucoup, cela signifie que le sol est très fertile.

**Déjections à la surface ▶**
On trouve certaines déjections à la surface mais la majorité sont laissées sous terre.

**3** **Remplis** ton vivarium aux trois quarts avec des couches de terre et de sable de couleurs différentes, puis ajoute une couche d'humus et arrose pour humidifier le tout. Dépose les lombrics, puis recouvre ton vivarium d'un tissu noir avant de l'entreposer dans un endroit sombre et frais.

## COMMENT SE NOURRISSENT LES LOMBRICS

Les lombrics avalent de la terre et absorbent les débris végétaux qu'elle contient. Une fois digérée la terre est évacuée et forme de petits tas sur le sol. Lorsqu'ils viennent à la surface, les vers emportent sous terre des feuilles mortes dont ils se nourrissent. Les restes de ces feuilles serviront à fertiliser le sol.

**Une salade de feuilles** ▶
Les vers transportent les feuilles dans leurs tunnels à l'aide de leur bouche.

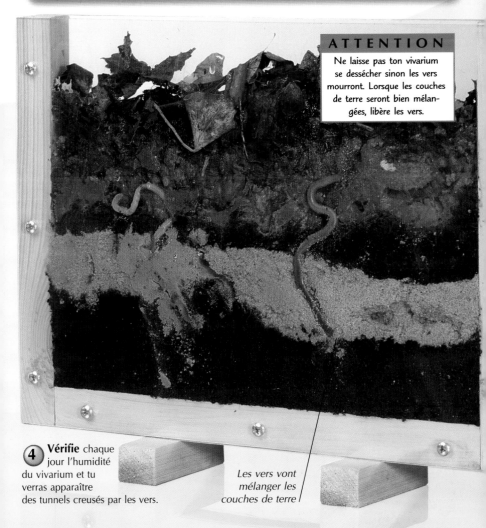

**ATTENTION**

Ne laisse pas ton vivarium se dessécher sinon les vers mourront. Lorsque les couches de terre seront bien mélangées, libère les vers.

**④ Vérifie** chaque jour l'humidité du vivarium et tu verras apparaître des tunnels creusés par les vers.

*Les vers vont mélanger les couches de terre*

### Une araignée de compagnie

Les petites bêtes sont de formidables animaux de compagnie, mais avant de t'en procurer une, renseigne-toi sur sa provenance. Achète un animal qui a grandi en captivité, sinon tu encourageras les personnes qui enlèvent les animaux sauvages à leur milieu naturel.

*Commence tes recherches près d'un étang car on y trouve de nombreuses espèces*

## QUELQUES ACTIVITÉS

- Visite le muséum d'histoire naturelle le plus proche de chez toi.
- Cherche sur Internet ou dans l'annuaire les coordonnées d'associations entomologiques dans ta région.
- Visite un insectarium ou un vivarium pour découvrir des insectes du monde entier.
- Demande à tes amis s'ils s'intéressent aux insectes. Peut-être font-ils partie d'un club ?

# Protège les insectes

Comme tous les animaux, les petites bêtes subissent les conséquences des activités humaines qui polluent et détruisent leur habitat. Certaines sont même arrachées à leur environnement naturel, puis vendues comme souvenirs. Heureusement, aujourd'hui beaucoup de personnes travaillent dur pour protéger les espèces en danger. Toi aussi tu peux aider ces petites bêtes si tu en as envie. Lis ce qui suit pour savoir comment.

### Les associations

Il y a sûrement dans ta région des associations entomologiques qui s'intéressent à la protection des insectes et qui organisent des activités et des excursions pour les plus jeunes. Tu pourras trouver leurs coordonnées sur Internet.

## Visite d'un insectarium

Pour en apprendre un peu plus sur les insectes, rends-toi dans un insectarium. Tu y verras de nombreuses espèces diurnes et nocturnes ainsi que les spécimens les plus gros et les plus fascinants de la planète.

## DE JOLIS SOUVENIRS

Dans certains pays, de jolis papillons sont vendus comme souvenirs. Cette pratique ne met pas en danger les papillons sauvages : ceux qui sont utilisés ont grandi dans des fermes à papillons. Cependant, comme il n'est pas toujours facile de connaître la provenance exacte de ces insectes, il vaut mieux ne pas les acheter. Si tu veux admirer une collection de papillons, rends-toi dans le muséum le plus proche.

**L'étude des papillons ▶**
Les collections de papillons que l'on trouve dans les muséums sont très utiles aux scientifiques. Ils les étudient pour comprendre la biologie des papillons et pour classer les différentes espèces.

# Classification des insectes

Il existe sur terre au moins un million d'espèces d'insectes. Pour mieux les distinguer, les scientifiques les ont classées par groupe selon les caractéristiques qu'elles partagent.

| ANIMAL | ORDRE | NOMBRE D'ESPÈCES | CARACTÉRISTIQUES | EXEMPLES |
|---|---|---|---|---|
| Carabe | COLÉOPTÈRES | 370 000 | Les coléoptères sont des insectes pourvus d'élytres. On les trouve sur terre ou dans l'eau. Leur régime alimentaire varie d'une espèce à l'autre. | Scarabée Lucane cerf-volant Nécrophore Coccinelle |
| Libellule | ODONATES | 5 500 | Ces insectes aux grands yeux et au long corps possèdent deux paires d'ailes transparentes. Les adultes chassent en plein vol. | Anax empereur Anax de juin Agrion jouvencelle |
| Mouche domestique | DIPTÈRES | 122 000 | Les diptères ne possèdent qu'une seule paire d'ailes. Adultes, ils se nourrissent de liquides, mais certains préfèrent le pollen. | Mouche domestique Cousin Moustique |
| Cigale | HOMOPTÈRES | 82 000 | Pour se nourrir, les hémiptères piquent les plantes ou les animaux avec leurs pièces buccales pointues. Ils sont pourvus de quatre ailes. | Cigale Punaise Puceron Cochenille |
| Grillon | ORTHOPTÈRES | 20 000 | Ces insectes sauteurs possèdent de puissantes pattes postérieures. La plupart ont quatre ailes, mais elles sont souvent trop petites pour qu'ils puissent voler. | Sauterelle ponctuée Criquet pèlerin |
| Blatte | DICTYOPTÈRES | 6 000 | Ces insectes au corps aplati ont de longues antennes et de longues pattes. Les blattes peuvent très vite envahir une maison. | Blatte américaine Mante religieuse Cafard |
| Papillon | LÉPIDOPTÈRES | 165 000 | Les ailes de ces insectes sont couvertes de minuscules écailles. Ils se nourrissent surtout de nectar grâce leur trompe qu'ils enroulent au repos. | Monarque Sphinx colibri |
| Guêpe | HYMÉNOPTÈRES | 108 000 | Les hyménoptères ont une taille très fine et un aiguillon pour la plupart. Ils ont deux paires d'ailes solidaires. Les fourmis ouvrières sont dépourvues d'ailes. | Abeille Bourdon Guêpe Fourmi |

La page de gauche dresse la liste des huit ordres d'insectes les plus importants, tandis que la page de droite recense les autres petites bêtes avec qui on pourrait les confondre.

| ANIMAL | ORDRE/ CLASSE | NOMBRE D'ESPÈCES | CARACTÉRISTIQUES | EXEMPLES |
|---|---|---|---|---|
| Scolopendre | CHILOPODES | 3 000 | Les chilopodes sont des animaux au corps plat et aux nombreuses paires de pattes. Ils tuent leurs proies à l'aide de crochets venimeux. | Scolopendre géante |
| Lule | DIPLOPODES | 8 000 | Les diplopodes possèdent quatre pattes sur chaque segment de leur corps et se nourrissent uniquement de déchets végétaux. | Lule géant |
| Cloporte | CRUSTACÉS | 40 000 | Les crustacés portent une carapace et sont dotés de nombreuses pattes. Ce sont tous des animaux aquatiques à part le cloporte qui vit dans l'humus. | Cloporte Crabe Crevette |
| Araignée | ARANÉIDES | 40 000 | Ces prédateurs à huit pattes possèdent des crochets venimeux et de nombreuses paires d'yeux. La majorité des espèces tissent une toile pour capturer leurs proies. | Épeire diadème Tarentule |
| Faucheux | OPILIONS | 5 000 | Les opilions se distinguent des aranéides par leurs pattes fines, leur corps ovale sans taille et leur absence de soie et de venin. | Faucheux |
| Tique | ACARIENS | 30 000 | Chaque espèce d'acarien se nourrit différemment. Ils peuvent se nourrir de végétaux, d'œufs d'insectes ou de sang de mammifères. | Tique du mouton Aoûtat |
| Scorpion | SCORPIONS | 1 400 | Les scorpions sont des animaux au corps plat qui possèdent huit pattes, deux pinces et une queue terminée par un dard venimeux. | Scorpion empereur |
| Pseudo-scorpion | PSEUDO-SCORPIONS | 33 000 | Ces petits animaux semblables aux scorpions vivent dans l'humus et ne sont pas dotés d'aiguillon. | Pseudo-scorpion |

# Glossaire

**Abdomen**
Partie postérieure du corps des insectes qui contient l'appareil digestif. Il est parfois pourvu d'un dard à son extrémité.

**Abeille**
Insecte muni d'un dard se nourrissant de fleurs. Certaines abeilles vivent en société dans de grandes ruches, tandis que d'autres sont solitaires.

**Abeille solitaire**
Abeille qui vit seule plutôt qu'en compagnie de ses congénères dans une ruche.

**Aile**
Appendice membraneux qui permet aux insectes de voler.

**Antenne**
Organe sensoriel pair, articulé et situé sur la tête d'un insecte.

**Araignée-crabe**
Espèce d'araignée qui se cache dans les fleurs pour chasser les insectes. À l'inverse de la majorité des araignées, les araignées-crabes sont souvent de couleur vive.

**Araignée sauteuse**
Araignée aux yeux très développés qui bondit sur ses proies plutôt que de les capturer dans une toile.

**Camouflage**
Technique qui consiste à se fondre dans son environnement en imitant les couleurs ou les formes.

**Céphalothorax**
Partie antérieure du corps des araignées qui regroupe la tête et le thorax et porte les pattes.

**Charognard**
Animal qui se nourrit de cadavres.

**Chilopode**
Variété de mille-pattes dont le corps est formé de nombreux segments, chacun portant une paire de pattes. La morsure du chilopode est venimeuse.

**Chrysope**
Insecte nocturne au corps allongé qui possède deux paires d'ailes finement nervurées.

**Coléoptère**
Insecte qui possède une paire d'ailes antérieures dures appelées élytres. Au repos, ces élytres protègent le dos de l'animal.

**Crochet**
Pièce buccale fine et pointue que les araignées portent au nombre de deux et qui leur permet d'injecter du venin dans leurs proies.

**Crustacé**
Animal couvert d'une carapace qui possède deux paires d'antennes et de nombreuses pattes. À l'exception du cloporte, les crustacés vivent tous en milieu marin.

**Cycle de vie**
Suite d'étapes qui constituent la vie d'un animal, depuis sa venue au monde jusqu'à ce qu'il se reproduise.

**Cynips**
Insecte voisin de la guêpe dont la larve grandit à l'intérieur d'une galle.

**Demoiselle**
Insecte voisin de la libellule au corps long et fin pourvu de quatre ailes transparentes dont la larve se développe sous l'eau.

**Diplopode**
Variété de mille-pattes dont le corps est formé de nombreux segments chacun portant deux paires de pattes. Les diplopodes sont couverts d'une carapace et se roulent en boule lorsqu'on les touche.

**Diptère**
Insecte qui ne possède qu'une seule paire d'ailes comme la mouche.

**Élytre**
Aile antérieure dure de certains insectes qui protège l'aile postérieure plus fine.

**Entomologiste**
Spécialiste des insectes.

**Fourmi**
Petit insecte qui vit dans une fourmilière et se nourrit de plantes et de débris ramassés sur le sol. Les ouvrières ne sont pas dotées d'ailes mais possèdent parfois un aiguillon.

**Galle**
Excroissance d'une plante produite par les sécrétions chimiques d'un insecte qui l'utilise ensuite comme abri.

**Guêpe**
Insecte doté d'un dard et de deux paires d'ailes. Les rayures des guêpes signalent aux autres animaux qu'elles sont dangereuses et qu'il ne faut pas les approcher.

## Habitat
Environnement qui accueille une espèce animale. Parmi les habitats des insectes, on trouve entre autres les forêts, les déserts et les étangs.

## Hibernation
Long sommeil durant la période hivernale. Beaucoup d'insectes hibernent car le froid les empêche de se déplacer et de trouver de la nourriture.

## Larve
Jeune insecte à peine sorti de l'œuf. Les larves ont des formes très différentes des adultes de leur espèce et se nourrissent parfois de leur abri. Les asticots et les chenilles sont deux types de larves.

## Libellule
Insecte au vol rapide et au long corps pourvu de deux paires d'ailes transparentes dont la larve se développe sous l'eau.

## Métamorphose
Transformation du corps d'un insecte au cours de son développement.

## Miellat
Liquide sucré produit par les pucerons à partir de la sève dont ils se nourrissent.

## Mimétisme
Technique de camouflage grâce à laquelle un insecte inoffensif se protège de ses prédateurs en imitant les couleurs ou les attitudes d'une espèce dangereuse.

## Mineuse
Larve qui se nourrit de l'intérieur des feuilles dans lesquelles elle creuse des tunnels.

## Nectar
Liquide sucré sécrété par les plantes pour attirer les insectes.

## Nymphe
Stade immobile du développement de nombreux insectes durant lequel la larve se transforme en animal adulte. Les pupes et les chrysalides sont deux types de nymphes.

## Ouvrière
Insecte vivant en société chargé d'effectuer les tâches quotidiennes nécessaires à la survie du nid. À l'inverse de leur reine, les ouvrières sont stériles.

## Papillon
Insecte pourvu de quatre ailes couvertes de très fines écailles et dont il existe des espèces diurnes et nocturnes. Il se nourrit du nectar des fleurs.

## Parasite
Animal qui recueille sa nourriture sur ou dans le corps d'un autre être vivant.

## Pédipalpe
Petit appendice situé de chaque côté de la tête d'une araignée, utilisé lors de l'accouplement mais aussi pour communiquer et examiner la nourriture.

## Pollen
Substance poudreuse produite par les plantes à fleurs.

## Prédateur
Animal qui chasse et se nourrit d'autres êtres vivants.

## Proie
Animal chassé par un prédateur.

## Puceron
Petit insecte brun ou vert qui pompe la sève des plantes sur lesquelles il vit.

## Punaise
Insecte volant à pièces buccales pointues qui se nourrit du sang des mammifères ou de la sève des plantes.

## Rayon
Feuille de cire formée de nombreuses alvéoles dans lesquelles les abeilles stockent le miel et élèvent les larves.

## Reine
Femelle reproductrice chez les abeilles, les guêpes, les termites et les fourmis. Des ouvrières s'occupent constamment d'elle tandis qu'elle dirige le nid.

## Sauterelle
Insecte sauteur aux longues pattes postérieures et aux épais élytres, qui se nourrit de plantes.

## Selle
Partie renflée qui entoure le corps des lombrics adultes et se trouve à environ un tiers de leur longueur totale en partant de la tête.

## Syrphe
Insecte au vol rapide qui se nourrit du nectar des fleurs.

## Termite
Insecte qui vit en société et se nourrit de bois. Contrairement aux fourmis, les termites sont des animaux plutôt nocturnes et ne possèdent pas d'aiguillon.

## Thorax
Partie centrale du corps d'un insecte située entre la tête et l'abdomen.

## Toile orbitèle
Toile d'araignée de forme circulaire.

# Remerciements

Index : Hilary Bird

Les éditeurs tiennent à remercier les personnes suivantes qui leur ont permis de reproduire leurs photographies :

Légende : h-haut ; c-centre ; b-bas ; g-gauche ; d-droite

Alamy Images : IPS 36hg ; Robert Pickett/Papilio 21cd, 21hc ; Simon de Trey-White/Photofusion Picture Library 66hg. Ardea. com : John Daniels 66bd ; Pat Morris 67bd ; Steve Hopkins 32b. Peter Chew – Brisbane Insects and Spiders : 29h. Bruce Coleman Ltd : Andrew Purcell 62bg. Corbis : 55hd ; Angela Hampton ; Ecoscene 8hd ; George McCarthy 30-31b ; Jim Sugar 67h ; Ralph A. Clevenger 68-69 ; Robert Pickett 59hd ; Wolfgang Kaehler 51h. FLPA – images of nature : B. Borrell Casals 35cd. Thomas R. Fletcher : 32-33c. Holt Studios International : Nigel

Cattlin 39bg. N.H.P.A. : Ant Photo Library 53h ; Anthony Bannister 13hd ; Daniel Heuclin 22b ; David Middleton 43b ; Eric Soder 64bc ; Ernie Janes 41bd, 46-47 ; George Bernard 21cg, 35 hg ; Haroldo Palo Jr 42c ; Mark Bowler 59 cdh ; Martin Garwood 60bd ; N. A. Callow 57hd ; N. A. Callow 37cgh ; Peter Parks 58bd ; Robert Thompson 60bd, 50cg ; Stephen Dalton 11cg, 12-13, 45hd, 45cdb, 48 bd, 65hd ; Nature Picture Library Ltd : Brian Lightfoot 36cd, Duncan McEwan 36bg, 39hd ; Geoff Dore 16b, 25cgb ; Ingo Arndt 4b ; John Downer 23h ; Premaphotos 28cg, 55hg. Premaphotos Wildlife : Ken Preston-Mafham 56cg. Science Photo Library : Anthony Mercieca 51b ; Barbara Strnadova 4-5 ; Claude Nuridsany et Marie Perennou 19h, 57b ; Françoise Sauze 30cg ; Jack K. Clark/Agstock 41ch ; James H. Robinson 56hd ; VVG 5bd. Warren Photographic : Kim Taylor 15cd, 17h,

29cg, 31hd, 33hd, 34g, 44c, 46cg, 53bg, 54b.

Images de couverture : Première : Ardea. com : Pascal Goetgheluck cb ; Steve Hopkins bg. Getty Images : Peter Hince ch. Robert Harding Picture Library : S. Harris h (ciel). Science Photo Library : James H. Robinson bcd. Quatrième : Bruce Coleman Ltd : Kim Taylor hd. Rabat première de couverture (numéroté de haut en bas et de gauche à droite) : OSF/Photolibrary. com : 22. Science Photo Library : Claude Nuridsany et Marie Perennou 57. Rabat quatrième de couverture : Ardea : John Mason 18. OSF/Photolibrary. com : 10, 14, 17, 31, 37. Premaphotos Wildlife : Rod Preston-Mafham 25, 27. Science Photo Library : Dr John Brackenbury 21.

Autres images © Dorling Kindersley www.dkimages.com